*L*aboratory Manual to accompany

Deutsche Sprache und Landeskunde

Fourth Edition

John E. Crean, Jr.
University of Hawaii

Jeanine Briggs

McGraw-Hill, Inc.
New York St. Louis San Francisco Auckland Bogotá
Caracas Lisbon London Madrid Mexico City Milan
Montreal New Delhi San Juan Singapore
Sydney Tokyo Toronto

This is an  book.

Laboratory Manual to accompany
Deutsche Sprache und Landeskunde

 This book is printed on recycled paper containing a minimum of 50% total
recycled fiber with 10% postconsumer de-inked fiber.

3 4 5 6 7 8 9 0 MAL MAL 9 0 9

ISBN 0-07-13515-0

This book was typed in Palatino on a Macintosh by Fog Press.
The editors were Raymond Meyer, Gregory Trauth, and Leslie Berriman;
the production supervisor was Diane Renda.
Project supervision was done by Stacey C. Sawyer.
Malloy Lithographing was the printer and binder.

Grateful acknowledgment is made for the use of the following materials:

Realia: *Page 18 Weimarer Tagespost; 38 Süddeutsche Zeitung; 40 Poertgen Herder; 48
Thüringische Landeszeitung; 97 Salzburger Filmkulturzentrum; 100 TV tip, TIP
Verlag; 129A, B Hörzu; 134 from Tausche Schulbank gegen Arbeitsplatz/Tips zur
Berufswahl für junge Leute, Bayerische Hypotheken- und Wechsel-Bank; 146 Super!
Zeitung; 165 from Der Schöne Tag 1991, Deutsche Bundesbahn; 170 Dachstein
Fremdenverkehrs-AG; 171 Dachstein Fremdenverkehrs-AG; 174 from Ein
Angebot der DB Touristik Reisepalette '83, Deutsche Bundesbahn.*

Contents

Introduction

The tape program consists of ten cassettes; each chapter is approximately 40 minutes long. The laboratory manual is the student's guide to the tape program. It provides the basic format for each chapter and includes the following material:

· all exercise directions, including examples when they are provided
· printed exercise material (scripts, responses, choices to circle, sentences with blanks to fill in, and so on) that correlates with the spoken material on tape
· visuals (maps, charts drawings, realia) from which to draw information and formulate responses
· ellipses (. . .) to indicate text on tape only
· numbers and ellipses (1. ... 2. ...) following exercise directions and examples to indicate the number of items in each set; the numbers themselves are spoken on tape only when it is necessary to follow closely item by item, as in quizzes, dictation exercises, and so on
· an answer key to dictation exercises at the end of the lab manual (answers to sound discrimination, true/false, and multiple-choice exercises are spoken on tape immediately following the exercise)

The tape program has been thoroughly revised in accordance with the fourth edition of the student text of *Deutsche Sprache und Landeskunde* to include the following features:

· balanced skill development with particular emphasis on communication, listening comprehension, speaking ability, and good pronunciation
· close coordination with the vocabulary and grammar presented in the student text but sufficient departure from the text to offer continuous enrichment and variation
· emphasis on authentic texts and contexts in which the student participates in meaningful dialogue and communicative exchange of ideas with the speakers
· a preliminary chapter with practical, accessible material on various topics, such as pronunciation, basic conversational phrases, counting, and telling time
· contextualized exercises that are short, varied, and cast in believable situations, to maintain interest with frequent change of pace
· engaging visuals that both enliven the appearance of the laboratory manual and offer a realistic context in which to practice language skills
· a realia-based activity (**Anwendung**) that concludes each chapter of the tape program

Chapters 1–15 have the following format:

AUSSPRACHE: These pronunciation exercises include single-word repetitions, contrasting word pairs, word pair discriminations, and conversational exchanges. In the last type of exercise, the student hears a set of exchanges, listens again to the first expression, and then makes some appropriate response, either the one from the script or one created by the student.

WORTGEBRAUCH: This section contains short, lively exercises, including dialogues, that vary from those in the student text and that introduce the vocabulary and theme of the chapter.

GRAMMATIK: Each subunit (A, B, C) contains the following sections to parallel those in the student text:

Dialog/Hörtext: Each dialogue or listening text is reproduced from the text and presented as a realistic dramatization for listening comprehension.

Variable format comprehension exercises (true/false, multiple-choice dictation, sentence completions, and the like) follow each dialogue. These exercises are usually shorter, simpler, and more objective than those in the corresponding section of the student text.

Zum Hören und Sprechen: All of these exercises were written expressly for the tape program with an emphasis on promoting speaking and listening skills. These exercises contextualize the vocabulary and structures of the preceding sections and offer variations on and points of departure from the theme. Drawings, maps, or charts accompany some exercises in each chapter. Most *Zum Hören und Sprechen* sections conclude with personalized exercises for students to simulate communication with a native speaker in a semi-controlled situation.

SAMMELTEXT: This section from the student text has been reproduced in the tape program but divided into short listening segments. The exercises following each segment vary not only from segment to segment but also from chapter to chapter. These include true/false questions, comprehension questions, multiple-choice exercises, dictation, commentary with questions, and various other derived exercises.

ANWENDUNG: This brief realia- or art-based activity concludes each chapter. Students are asked to respond to the visual in a variety of ways. A set of personalized questions or a writing activity often follows.

(The correct answers are, in most cases, given on tape after each exercise, so that students can check their own work in the lab manual. Answers to some exercises may be found in the answer key.)

Authors

John E. Crean, Jr., wrote the **Aussprache** section and the exercises following the dialogues and listening texts. He also wrote the **Aussprache** section of the preliminary chapter, **Zur deutschen Sprache und Landeskunde.**

Jeanine Briggs wrote the **Vorschau, Hören und Sprechen,** and **Anwendung** sections. She also wrote the exercises that accompany the **Sammeltext** and the preliminary chapter sections on basic conversational phrases, counting, and telling time.

Marilyn Scott authored the **Dialog, Hörtexte,** and **Sammeltexte,** which appear on the tape, unabridged and unedited from the student text.

Name _____ Datum _____ Klasse _____

ZUR DEUTSCHEN SPRACHE UND LANDESKUNDE

AUSSPRACHE

The alphabet provides the building blocks of language. The following brief exercises will help you use these building blocks in a number of constructive ways.

A. Alphabet. *Listen to the alphabet as it is read. When it is read a second time, repeat each letter after the speaker.*

. . .

B. Das Abc. *Taking turns with the speaker, say the letter that follows next in the alphabet. The speaker will begin. Don't forget ß!*

. . .

C. Tiere (animals). *Listen to the names of a few familiar animals spelled out for you in German. Write the letters as they are said, repeating them to yourself quietly as you write.*

1. _____
2. _____
3. _____
4. _____
5. _____
6. _____

Letters represent sounds in a language. In learning any new language, we need to know how letters are pronounced and how words and phrases are accented. The following section will help you develop a general feeling for German pronunciation and intonation.

D. Betonung (stress). *Repeat each word after the speaker, listening carefully for the syllable that bears the primary stress. Underline the accented syllable in each word.*

1. Montag   Freitag   Sonntag
2. Januar   April   Oktober
3. sieben   hundert   tausend
4. Goldfisch   Insekt   Wiesel

E. Intonation. *Repeat the following sentences, this time concentrating on the contour, or flow, of the phrasing. Does the phrase rise ⤴ or fall ⤵ ?*

BEISPIEL: Danke schön!
(⤵)

In this instance, the phrase has a falling contour. Now listen to and repeat these sentences, and indicate the contour of each.

1. Entschuldigung!   Wie spät ist es?   Sieben Uhr.
       (   )   (   )   (   )

2. Wie, bitte?   Ist es schon sieben?   Ist der Bus schon weg?
       (   )   (   )   (   )

F. **Laute** (*sounds*). *For each letter in the alphabet, listen to and repeat both the sound and the sample words.*

LETTER	SOUND	SAMPLE WORDS		
a	[a:]	ja	Staat	Adler
	[a]	alle	Affe	Mann
ä	[ɛ:]	Bär	Käfer	spät
	[ɛ]	läßt	März	Känguruh
b	[b]	Biene	Basis	Oktober
	[p]	Kalb	ab	(er) lebt
c	[k]	Camping	Cola	Café
d	[d]	Delphin	Dezember	Adler
	[t]	Hund	bald	endlich
e	[e:]	Esel	Tee	gehen
	[ɛ]	es	Ente	Teller
	[E]	bitte	alle	gehen
f	[f]	Fisch	Affe	fünf
g	[g]	gut	Tiger	Goldfisch
	[k]	Tag	Trog	(er) sagt
h	[h]	hier	Haus	Hamster
i	[i:]	ihm	ihnen	Igel
	[I]	im	Winter	Insekt
j	[j]	ja	Joch	Januar
k (ck)	[k]	kann	Acker	Krokodil
l	[l]	Lamm	elf	null
m	[m]	Motte	Name	am
n	[n]	neun	finden	Nashorn
o	[o:]	so	Boot	Rose
	[ɔ]	ob	Sommer	Otter
ö	[ø:]	schön	Löwe	Österreich
	[œ]	Köln	östlich	Frösche
p	[p]	Post	knapp	Papagei
q(u)	[k(v)]	quer	Qualle	Qualität
r	[R]	Raupe	drei	irren
s	[z]	so	Sonntag	Wiesel
	[s]	Maus	essen	Ast
ß	[s]	Paß	eßt	Strauß
t(h)	[t]	Tiger	Blatt	Thunfisch
u	[u:]	du	Juni	Uhu
	[U]	und	Wurm	Mutter
ü	[y:]	über	Frühling	Hühner
	[Y]	fünf	müssen	Stück
v	[v]	vage	Vase	privat
	[f]	vier	Vater	Vogel
w	[v]	weit	Wolf	Winter
x	[ks]	Axt	Xerokopie	Xylophon

LETTER	SOUND	SAMPLE WORDS		
y	[y:]	Typ	Zyklus	Zyklop
	[Y]	System	systematisch	synchron
	[j]	Yeti		
z	[ts]	zu	zehn	Ziege

DIPHTHONG	SOUND	SAMPLE WORDS		
au	[aᵘ]	aus	tausend	Taube
äu	[ɔ ɪ]	Fräulein	Mäuse	Häuser
eu	[ɔ ɪ]	neun	heute	Eule
ai	[aɪ]	Mai	Saite	Hain
ay	[aɪ]	Mayer	Bayern	
ei	[aɪ]	eins	Seite	Eisbär
ey	[aɪ]	Meyer		

CLUSTER	SOUND	SAMPLE WORDS		
ch	[ç]	ich	nicht	Eiche
	[X]	ach	Nacht	Sache
chs	[ks]	sechs	Fuchs	Eidechse
chts	[çts]	nichts	rechts	Gedichts
gn	[gn]	Gnu	Gnom	gnostisch
kn	[kn]	Knie	Knochen	knusprig
ng	[N]	eng	Finger	Schlange
nk	[Nk]	Bank	Onkel	verrenkt
pf	[pf]	Pfad	Pferd	Pfennig
ps	[ps]	psychisch	pseudo-	Psychologie
schl	[ʃl]	schlau	schlank	Schlange
schm	[ʃm]	schmal	schminken	Schmetterling
schw	[ʃv]	schwer	Schwein	schwierig
sp	[ʃp]	spät	Spinne	Spion
spr	[ʃpR]	Sprache	spritzen	Sprinter
st	[ʃt]	Stadt	Stier	Stefan
str	[ʃtR]	Straße	Stroh	Strandläufer
tsch	[tʃ]	Deutsch	Klatsch	Tschechoslowakei
tz	[ts]	Witz	Klotz	Katze
zw	[tsv]	zwei	zwischen	Zwilling

G. Die Namen der Tage. *You will hear the name of a day. Say the name of the day that follows. A speaker will confirm your response and then say the next day.*

Mittwoch . . .

H. Die Monate. *You will hear the name of a month. Say the name of the month that follows. A speaker will confirm your response and then say the next month.*

April . . .

I. Die Jahreszeiten (*seasons*). *You will hear the name of a month. Say in which season it occurs. Refer to the chart.*

```
┌─────────────────────────────────────────────┐
│        DIE JAHRESZEITEN (seasons)           │
│                                             │
│     Frühling      22. März–21. Juni         │
│                                             │
│     Sommer        22. Juni–21. September     │
│                                             │
│     Herbst        22. September–21. Dezember │
│                                             │
│     Winter        22. Dezember–21. März      │
│                                             │
└─────────────────────────────────────────────┘
```

BEISPIEL: April → Frühling

1. ...   2. ...   3. ...   4. ...   5. ...   6. ...   7. ...

GREETINGS AND EVERYDAY EXPRESSIONS

A. Grüße und Ausdrücke. *Repeat each expression after the speaker. Imitate the pronunciation as closely as possible.*

1. ...   2. ...   3. ...   4. ...   5. ...   6. ...   7. ...   8. ...   9. ...   10. ...   11. ...   12. ...

B. Dialoge. *Talk with Mrs. Müller, Stefan, Paula, and Jürgen. Read your lines with expression.*

1. FRAU MÜLLER: ...

      SIE: Guten Morgen, Frau Müller! Wie geht es Ihnen?

    FRAU MÜLLER: ...

      SIE: Gut, danke.

    FRAU MÜLLER: ...

      SIE: Auf Wiedersehen, Frau Müller!

2. STEFAN: ...

      SIE: Nicht schlecht. Und dir?

    STEFAN: ...

      SIE: Wiedersehen!

    STEFAN: ...

3. PAULA: ...

      SIE: Bitte!

4. JÜRGEN: ...

      SIE: Hallo, Jürgen! Ich heiße ...

C. Flüchtige Begegnungen (*brief encounters*). *Listen to each expression. Then choose the appropriate word or phrase and respond.*

    1. a. Guten Abend!

        b. Guten Morgen!

    2. a. Danke!

        b. Bitte sehr!

    3. a. Es geht mir gut, danke.

        b. Ich heiße Schmidt. Und Sie?

    4. a. Bitte.

        b. Danke.

D. Die Party. *You will hear each line of speech in the drawing twice. Write the missing words as you hear them. Begin at the left and work to the right.*

CARDINAL NUMBERS AND COUNTING

A. Zwanzig... *Join the countdown from twenty to zero. Say each number with the speakers.*

zwanzig, neunzehn, achtzehn, siebzehn, sechzehn, fünfzehn, vierzehn, dreizehn, zwölf, elf, zehn, neun, acht, sieben, sechs, fünf, vier, drei, zwei, eins, null.

B. Bücher. *Herr Kreider is counting books in his library, and he's already up to thirty. Repeat each number you hear as you look at the printed numeral.*

30, 31, 32, 33, 34, 35, 36, 37, 38, 39, 40.

C. Auktion. *Assume that you are at an auction. Double each bid; then listen for the verification before responding to the next bid.*

BEISPIELE: zwei → vier
drei → sechs

1. ... 2. ... 3. ... 4. ... 5. ... 6. ...

D. Zahlen (*numbers*). *Look at each set of printed numerals. Circle the letter that corresponds to the number you hear. Each number will be said twice.*

BEISPIEL: a. 1100   b. 110

1. a. 54   b. 45
2. a. 333   b. 3033
3. a. 78   b. 87
4. a. 210   b. 202
5. a. 990   b. 99
6. a. 680   b. 618

E. Postleitzahl und Telefonnummer? *The following railway stations in Germany are only a few of the many that have facilities for renting bicycles. Write down the missing numbers for the zip code (**Postleitzahl**) or the telephone number.*

POSTLEITZAHL	BAHNHOF	TELEFONNUMMER
___ ___ ___ ___	Aschaffenburg	0 60 21 / 3 73 46
8100	Garmisch-Partenkirchen	___ _____ _____ / ___ _____ _____
___ ___ ___ ___	Ludwigsstadt	0 92 63 / 2 18
8623	Staffelstein	___ _____ _____ / ___ _____
___ ___ ___ ___	Tübingen	0 70 71 / 19 53 33
6992	Weikersheim	___ _____ _____ / ___ _____

F. Wilhelmstraße. *Complete the street scene by filling in the missing numerals. Each item will be said twice.*

TELLING TIME

A. Wieviel Uhr ist es? *Someone will tell you the time and repeat it. Circle the letter of the corresponding printed time.*

BEISPIEL: a. 9.30 b. 10.30

1. a. 7.30 b. 8.30

2. a. 7.45 b. 7.15

3. a. 11.40 b. 12.20

4. a. 1.45 b. 2.15

5. a. 5.50 b. 5.05

6. a. 8.30 b. 7.30

B. Richtig oder falsch? *Someone will tell you the time twice. If it corresponds to the time on the clock, say "richtig." If it doesn't, say "falsch," then listen to the correct time.*

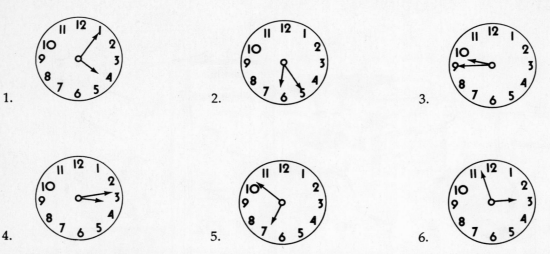

1.

2.

3.

4.

5.

6.

C. Wieviel Uhr? *Every clock in the cartoon shows a different time. Draw in the hands of each clock according to the time stated. Each time will be said twice.*

D. Ankunft (*arrival*). *Complete the printed train schedule by filling in each time of arrival.*

ANKUNFT		ANKUNFT	
_____	Basel	_____	Fulda
_____	Freiburg	_____	Hannover
_____	Karlsruhe	_____	Bremen
_____	Frankfurt		

E. Dialog. *Converse with Mrs. Sander. Each time it is your turn to speak, respond with one of the two given expressions, according to your choice.*

FRAU SANDER: . . .

    SIE: Guten Morgen!

          Guten Morgen, Frau Sander!

FRAU SANDER: . . .

    SIE: Es geht mir gut, danke. Und Ihnen?

          Nicht schlecht. Und Ihnen?

FRAU SANDER: . . .

    SIE: Wie spät ist es, bitte?

          Wieviel Uhr ist es, bitte?

FRAU SANDER: . . .

    SIE: Viertel nach neun?

          Viertel vor zehn?

FRAU SANDER: . . .

    SIE: Viertel vor neun. Danke.

          Aha! Danke schön.

FRAU SANDER: . . .

    SIE: Auf Wiedersehen, Frau Sander.

          Wiedersehen!

FRAU SANDER: . . .

F. Rollenspiel. *The pub described in the ad on page 10 is open daily until 1:00 A.M. and serves food until 11:00 P.M. Look at the ad and listen to a conversation between an employee of the pub and a customer asking questions about it.*

Now take the part of the pub employee. Answer the same questions yourself, according to the ad.

. . .

KUNDE (*customer*):

KAPITEL 1

AUSSPRACHE

The *a* Sounds

A. *Repeat each word, concentrating on the long, closed a sound.*

sagen	Name
fragen	Jahre
Tage	Straße
haben	aber
fahren	Abend

B. *Repeat each word, concentrating on the short, open a sound.*

ab	Nacht
am	machen
hat	halten
alt	Tasche
acht	Flasche

C. *Repeat each word pair, contrasting long, closed a with short, open a.*

Staat, Stadt	Phasen, fassen
Bahn, Bann	Haken, hacken
kam, Kamm	

D. *Listen to each conversational exchange.*

1. Arbeitest du?

   —Tag und Nacht.

2. Die ganze Klasse?

   —Ja, alle zusammen.

3. Guten Tag. Alles klar?

   —Danke, ja.

1. *Are you working?*

   —Day and night.

2. *The whole class?*

   —Yes, everyone together.

3. *Hello. All set?*

   —Yes, thanks.

Now listen to each question again, and give the response yourself.

. . .

E. *You will hear a series of word pairs, one having long, closed* a *and the other short, open* a. *One word from each pair will be repeated. Circle the letter preceding that word.*

BEISPIEL: a. Wahn b. wann

1. a. Saat b. satt
2. a. ahne b. Anne
3. a. kam b. Kamm
4. a. Aale b. alle

5. a. Hase b. hasse
6. a. mahne b. Manne
7. a. Haken b. hacken
8. a. lag b. Lack

WORTGEBRAUCH

A. Bekannte. (*acquaintances*). *Practice what you might say about a group of persons. Repeat first the phrase and then the entire sentence after the speaker. In these sentences,* sie *means "they."*

1. ... 2. ... 3. ... 4. ... 5. ... 6. ... 7. ... 8. ...

B. Dialoge und Situationen. *Look at the situations a through d. You will hear four dialogues. Beneath each situation, write the number of the dialogue that corresponds to it.*

a. ____

b. ____

c. ____

d. ____

C. Sonntags, . . . *Look at Petra's schedule. You will hear days of the week. According to the schedule, tell what Petra plans for those days.*

   BEISPIEL: sonntags: Musik

> sonntags: Musik
>
> montags: Deutsch
>
> dienstags: Literatur
>
> mittwochs: Deutsch
>
> donnerstags: Literatur
>
> freitags: Deutsch
>
> samstags: arbeiten

   1. . . .   2. . . .   3. . . .   4. . . .   5. . . .

D. Musik, . . . *Now you will hear the name of an activity or a subject from Petra's schedule. Tell which day or days Petra sets aside for it.*

   1. . . .   2. . . .   3. . . .   4. . . .

E. Und Sie? *Describe your own schedule. A speaker will suggest some type of activity or subject. Say the days or times of the day that you personally set aside for it.*

   1. . . .   2. . . .   3. . . .   4. . . .   5. . . .   6. . . .   7. . . .   8. . . .

F. Guten Tag! *Someone will greet you. Give an appropriate response.*

   . . .

GRAMMATIK

A Dialog

Studentencafé in Tübingen. Hans ist Student, und er kommt aus Köln. Karin ist Studentin, und sie arbeitet als Kellnerin. Sie sind Freunde.

   . . .

Richtig oder falsch? *Respond to each statement by circling R for* richtig, *if it is true, or F for* falsch, *if it is false.*

BEISPIEL: R   F

1. R   F
2. R   F
3. R   F

4. R   F
5. R   F

Zum Hören und Sprechen

A. Sie, sie oder sie? *Listen carefully to each short piece of conversation. Circle the letter preceding the printed pronoun that corresponds to the pronoun you hear in context.*

1. a. sie *(she)*   b. sie *(they)*   c. Sie *(you)*
2. a. sie *(she)*   b. sie *(they)*   c. Sie *(you)*
3. a. sie *(she)*   b. sie *(they)*   c. Sie *(you)*
4. a. sie *(she)*   b. sie *(they)*   c. Sie *(you)*
5. a. sie *(she)*   b. sie *(they)*   c. Sie *(you)*
6. a. sie *(it)*   b. sie *(they)*   c. Sie *(you)*

B. Wer ist neu hier? *Answer affirmatively each question you hear.*

BEISPIEL: Du bist neu hier, nicht?
Ja, ich bin neu hier.

1. Ja, er . . .   2. Ja, wir . . .   3. Ja, sie . . .   4. Ja, sie . . .

C. Freunde. *Listen to the following paragraph, and write each missing word. You will hear the paragraph twice.*

Paul and Max _____ in Göttingen. Paul _____ Student, und Max ist

_____. Sie sind Freunde. _____ spielen sie Tennis, und Dienstag

abends spielen sie _____. Morgen reisen sie _____.

D. Studentencafé. *Assume you are sitting in a student café. Listen to what the waitress says, and respond with one of the given phrases, according to your choice.*

KELLNERIN: . . .

SIE: Kaffee, bitte.

Käsekuchen, bitte.

Kaffee und Käsekuchen, bitte.

KELLNERIN: . . .

SIE: Ja, bitte.

Nein, „Die Zeit", bitte.

Nein, danke.

KELLNERIN: . . .

B Dialog

Studentencafé. Dieter, Susi und Hans sprechen miteinander.

. . .

Was fehlt (*what's missing*)? *You will hear statements based on the dialogue. You will hear each statement twice. Write the missing words as you hear them.*

1. Dieter sagt, „_____".

2. Hans _____ schon da.

3. Hans _____ aus Köln.

4. Dieter, Hans und Susi _____.

5. Hans studiert _____ und Literatur.

6. Hans, Dieter und Susi gehen heute _____ alle zusammen.

Zum Hören und Sprechen

A. Städte und Freunde. *You will hear statements about various persons and their whereabouts. Check the list, and say the name of the person or persons to whom each statement refers.*

> BEISPIEL: Sie studieren in Wien.
> Sie heißen Ursula und Adam.

Berlin: Erich

Basel: Maria

Wien: Ursula und Adam

Heidelberg: Ute

Zürich: Ernst und Franz

Frankfurt: Konrad

Salzburg: Monika und Heidi

B. Wer ist Claudia? *Listen as Claudia tells about herself. Then listen to the following statements about her. If the statement is true, circle* R *for* richtig; *if it is false, circle* F *for* falsch.

. . .

1. R   F
2. R   F
3. R   F

4. R   F
5. R   F

C. Peter und Axel. *Listen as Peter tells about himself and his friend Axel. Then listen to each statement. Write the initial of the student to whom it pertains:* P *for* Peter; A *for* Axel; P, A *for both* Peter *and* Axel.

. . .

_____ 1. Er kommt aus München.

_____ 2. Er ist Student.

_____ 3. Er wohnt in Tübingen.

_____ 4. Er studiert Mathematik.

_____ 5. Er arbeitet von Montag bis Sonntag.

_____ 6. Er arbeitet gern.

_____ 7. Er spielt gern Gitarre.

_____ 8. Er reist gern.

D. Neue Städte, neue Freunde. *Nora is going to tell you about herself and her new friends. Fill in the missing words as she speaks. You will hear the paragraph twice.*

Hallo! Ich _____ Nora. Ich _____ aus Bonn. Ich

_____ jetzt in Marburg. Ich _____ hier Zoologie. Ich

_____ schon Paula, Dieter und Hans. Paula und Dieter _____ aus

Regensburg. Hans _____ aus Stuttgart. Und du? Du _____ aus

Amerika, nicht?

E. Sigrid fragt: Und du? *A student sits next to you in a student café and strikes up a conversation. Tell her about yourself.*

SIGRID: . . .

C Dialog

Neckargasse. Karin, Hans und Peter sprechen miteinander.

. . .

Was stimmt? (*What's right?*) *You will hear two conflicting statements about the dialogue. Circle the letter of the correct statement.*

BEISPIEL: a   b

1. a   b   4. a   b

2. a   b   5. a   b

3. a   b

Zum Hören und Sprechen

A. Fragen. *Listen carefully to each question, then choose the appropriate answer and circle the letter preceding it. You will hear each question twice.*

1. a. Ja, er heißt Jürgen Braun.

   b. Nein, er heißt nicht Dieter Braun.

2. a. Ja, er kommt aus Flensburg.

   b. Nein, er kommt nicht aus Hamburg.

3. a. Ja, er lernt Italienisch.

   b. Nein, er lernt nicht Englisch.

4. a. Ja, er reist nach Amerika.

   b. Nein, er reist nicht nach Afrika.

5. a. Ja, er wohnt in New York.

   b. Nein, er wohnt nicht in New Haven.

6. a. Ja, er arbeitet dort als Kellner.

   b. Nein, er studiert dort nicht.

B. Student und Studentin. *Two students will talk briefly about themselves. After each student speaks, you will hear questions. Answer each one with a complete statement.*

STUDENT: ...

1. ...　2. ...　3. ...

STUDENTIN: ...

1. ...　2. ...　3. ...

C. Studentencafé. *Study the picture. Then answer each question about it with a complete sentence.*

1. ...　2. ...　3. ...　4. ...　5. ...　6. ...　7. ...　8. ...

D. Wer ist das? *Answer the questions about the man in the picture.*

1. ... 2. ... 3. ... 4. ... 5. ...

E. Dialog. *Converse with Stefan. Give personal answers to each of his questions.*

STEFAN: ...

SAMMELTEXT

Listen carefully to the first paragraph of the Sammeltext. *Exercises based on it will follow.*

...

A. Hans. *You will hear a series of incomplete sentences. In the pause that follows each one, circle the letter(s) preceding each word that completes the sentence according to the information you have just heard.*

1. a. ...Hartmann.   b. ...Huber.   c. ...Hoffmann.

2. a. ...Koblenz.   b. ...Köln.   c. ...Tübingen.

3. a. ...Literatur.   b. ...Musik.   c. ...Medizin.

4. a. ...Kiel.   b. ...Köln.   c. ...Tübingen.

5. a. ...Dieter.   b. ...Karl.   c. ...Susi.

B. Richtig oder falsch? *Circle R for* richtig *if the statement you hear is true. If it is false, circle F for* falsch.

1. R   F   3. R   F

2. R   F   4. R   F

Listen carefully to the second paragraph of the Sammeltext, *which will be followed by exercises.*

...

C. Verben. *Listen carefully to each sentence, and write the infinitive of the verb you hear. You will hear each sentence twice.*

1. _____

3. _____

2. _____

4. _____

D. Arbeitet Hans zu viel? *Study Hans' schedule. Then give a simple* ja *or* nein *answer to each question. If the answer is* nein, *supply the correct information.*

BEISPIEL: Ist Musiktheorie montags und mittwochs?
Nein, dienstags und donnerstags.

Name: Hans Hoffmann
Adresse: Gartenstraße 33
           Tübingen 1
Telefon: 07 (13 48 75)

	Mo	DI	MI	Do	Fr	Sa-So
8-10	Englisch	Englisch	Englisch		Englisch	Reisen
10-12		Musiktheorie		Musiktheorie		
12-14			Mittagstisch° (Englisch)			
14-16	Vorlesung:° Lite-raturgeschichte°				Vorlesung: Musikgeschichte	
16-18		Vorlesung: Literatur		Serninar: Literatur		
18-20				Chorprobe		

lecture   *piano lesson*   *lunch club*
Geschichte = *history*

1. ...   2. ...   3. ...   4. ...   5. ...   6. ...

ANWENDUNG

Kennen Sie Susi? *Assume you are studying in Tübingen. Karin has told you a little about Susi. Now you have a chance to talk with her personally and answer her questions.*

SUSI: ...

KAPITEL 2

AUSSPRACHE

The *e* Sounds

A. *Repeat each word, concentrating on the long, closed* e *sound.*

    leben   lesen   geben   gehen   verstehen   Tee   sehr   der

B. *Repeat each word, concentrating on the short, open* e *sound.*

    schnell   jetzt   Herr   Bett   sechs   elf   kennen   Kellner   Männer

C. *Repeat each word pair, contrasting long, closed* e *with short, open* e.

    den, denn   wen, wenn   Heer, Herr   beten, Betten   fehlen, fällen

D. *Listen to each conversational exchange.*

1. Wie geht's, wie steht's?

   —Sehr gut, danke!

2. Geht's dir schlecht?

   —Sehr schlecht.

3. Fenster zu, bitte!

   —Entschuldigung, Herr Ebert!

4. Seite sechs oder Seite elf?

   —Seite zehn.

1. *How're you doing?*

   —Just fine, thanks!

2. *Are things going badly?*

   —Really badly!

3. *Close the window, please!*

   —Excuse me, Mr. Ebert!

4. *Page six or page seven?*

   —Page ten.

Now, listen to the first part of each exchange again, and make the response yourself.

    . . .

E. *You will hear a series of word pairs, one having long, closed* e *and the other short, open* e. *One word from each pair will be repeated. Circle the letter preceding that word.*

1. a. den   b. denn
2. a. Wesen   b. wessen
3. a. beten   b. Betten
4. a. Kehle   b. Kelle

5. a. Heer   b. Herr
6. a. Steg   b. steck
7. a. fehlen   b. fällen
8. a. stehlen   b. stellen

WORTGEBRAUCH

A. Das Zimmer. *Answer the questions according to the picture.*

1. ...   2. ...   3. ...   4. ...   5. ...   6. ...

B. Was ist das? *Identify each picture by writing beneath it the number that corresponds to the object named.*

_____   _____   _____   _____   _____   _____

C. Dialog. *Assume that you are attending a meeting of the German Club. Thomas strikes up a conversation with you and introduces you to Rosi. Give personal answers to their questions.*

THOMAS: ...

ROSI: ...

D. Nationalitäten. *Assume that you are at an international conference. Answer each question by reading either of the printed sentences.*

1. Ja, er ist Amerikaner.

   Nein, er ist Engländer.

2. Ja, sie ist Schweizerin.

   Nein, sie ist Österreicherin.

3. Ja, sie ist Japanerin.

   Nein, sie ist Koreanerin.

4. Ja, er ist Iraner.

   Nein, er ist Iraker.

5. Ja, sie ist Italienerin.

   Nein, sie ist Mexikanerin.

6. Ja, er ist Österreicher.

   Nein, er ist Schweizer.

GRAMMATIK

A Dialog

Das Studentenheim: Walters Zimmer. Peter und Walter sprechen miteinander.

. . .

Richtig oder falsch? *Respond to each statement by circling* R *for* richtig, *if it is true, or* F *for* falsch, *if it is false.*

BEISPIEL: R   F

1. R   F

2. R   F

3. R   F

4. R   F

5. R   F

6. R   F

7. R   F

Zum Hören und Sprechen

A. Möbel. *You will hear a dialogue between a customer and a salesperson at a furniture store. Afterward, you will hear questions about it. Circle the letter preceding the correct answer.*

. . .

1. a. 500 DM   b. 460 DM

2. a. 2,00 × 1,40   b. 2,00 × 1,50

3. a. Deutschland   b. Dänemark

4. a. 408 DM   b. 480 DM

B. Das Studentencafé. *Give a positive answer to each question about a student café.*

BEISPIEL: Ist das Brot gut?
            Ja, es ist gut.

1. . . .   2. . . .   3. . . .   4. . . .   5. . . .   6. . . .

C. Das Studentenheim. *A German student asks you questions about dormitory accommodations at your school. Give a personal answer to each question.*

   STUDENTIN: . . .

B Dialog

Ein Haus in Tübingen: Peters Zimmer. Walter und Peter sprechen miteinander.

   . . .

Was stimmt? *You will hear statements about the dialogue with two different completions. Circle the letter of the correct completion.*

   BEISPIEL: a   b

   1. a   b   5. a   b

   2. a   b   6. a   b

   3. a   b   7. a   b

   4. a   b

Zum Hören und Sprechen

A. Wer wohnt hier? *Assume that you are standing with a friend before the door to an apartment building. Your friend asks about the residents. Answer each question negatively. Then state that a member of the same group but of the opposite sex lives here.*

   BEISPIEL: Wohnt eine Studentin hier?
              Nein, aber ein Student wohnt hier.

   1. . . .   2. . . .   3. . . .   4. . . .   5. . . .   6. . . .

B. Was ist es denn? *Look at the drawing. Then play the part of a contestant in a TV game show who is trying to guess what is in each box, but without much luck. Answer the questions according to the model.*

   BEISPIELE: Ist es ein Computer?
              Nein, es ist kein Computer.

              Was ist es denn?
              Es ist eine Schreibmaschine.

C. Was ist das? *You will hear the names of several different things. Tell what each is. The answer you hear may not be the only correct one.*

> BEISPIEL: Volkswagen
> Das ist ein Auto.

1. ... 2. ... 3. ... 4. ... 5. ... 6. ...

C Dialog

Die Zimmervermittlung. Eine Studentin spricht mit dem Zimmervermittler, Herrn Braun.

> . . .

Was fehlt? *You will hear statements based on the dialogue. You will hear each statement twice. Write the missing words as you hear them.*

1. Die Studentin _____ ein Zimmer.

2. Herr Braun hat drei _____ frei.

3. Die Studentin hat nicht viel _____.

4. Das Zimmer _____ nicht viel.

5. Das Zimmer hat eine _____ und eine Waschecke.

6. Das Zimmer ist _____.

7. Das Zimmer hat einen _____.

8. Das _____ ist neu.

Zum Hören und Sprechen

A. Was ist schön? *Assume that you are visiting a foreign country and find everything beautiful. Use the plural form of each cue to vary the sentence.*

> BEISPIEL: die Stadt
> Die Städte sind schön.

1. ... 2. ... 3. ... 4. ... 5. ... 6. ...

B. Was brauchen Sie? *Assume that you are ordering furniture and supplies for your company. Look at the order form. Then answer the questions accordingly.*

> BEISPIELE: Brauchen Sie Computer?
> Ja, 2 Computer.
>
> Brauchen Sie Tische?
> Nein, keine Tische.

Quantität	Gegenstand (*item*)
2	Computer
24	Stuhl
6	Schreibtisch
120	Bleistift
5	Schreibmaschine

C. Wer hat was? *Assume that the German Club is holding a meeting. Use the cues you hear to say who has what.*

BEISPIEL: der Professor, Hefte
Der Professor hat Hefte.

1. ...   2. ...   3. ...   4. ...   5. ...

D. Was haben sie? *Look at the picture and answer the questions accordingly.*

1. ...   2. ...   3. ...   4. ...   5. ...

E. Die Arche Noah. *Imagine that you are watching Noah's ark being loaded. Using the given plural patterns, tell which animals are going into the ark.*

> BEISPIEL: das Gnu, -s
> Ein Gnu geht in die Arche.
> Zwei Gnus gehen in die Arche.

1. die Kuh, ̈e

2. das Pferd, -e

3. der Bär, -en

4. das Huhn, ̈er

5. das Schwein, -e

6. das Känguruh, -s

7. die Maus, ̈e

8. die Katze, -n

SAMMELTEXT

Listen carefully to the first part of the Sammeltext. *Exercises based on it will follow.*

. . .

A. Tübingen. *You will hear the beginning of a sentence. Circle the letter of the word or phrase that correctly completes the sentence.*

1. a. . . . eine Großstadt.

    b. . . . eine Universitätsstadt.

2. a. . . . alt und berühmt.

    b. . . . neu und modern.

3. a. . . . 70 000 Einwohner.

    b. . . . 17 000 Einwohner.

4. a. . . . Häuser.

    b. . . . Studentenzimmer.

5. a. . . . Wohnungen.

    b. . . . Zimmer.

6. a. . . . teuer.

    b. . . . kostenlos.

B. Die Universität. *You've just met a student from Tübingen who is interested in hearing about the university you attend. Give your own answer to each question she asks.*

STUDENTIN: . . .

Now you will hear the second part of the Sammeltext. *Exercises based on it will follow.*

. . .

C. Das Inserat. *Assume that you work in the advertising department of a newspaper. Someone is calling in an ad. Listen carefully and write the missing words or figures. You will hear the entire ad twice.*

ZU VERMIETEN. _____, 3 Zimmer, _____,

modern. 440 DM. Wasser _____. Nichtraucher. Telefon (_____–21 Uhr):

84 _____ _____. Schillerstraße 33.

D. Wohnung zu vermieten. *Assume you have an apartment for rent. Look at the ad you've just completed. Someone will call on the phone to inquire about it. When the phone stops ringing, answer with „Hallo, hier (Schmidt)," using your own last name. Answer each question according to the ad.*

ANRUFER (*caller*): . . .

Immobilien. *Look at the real estate ad describing an apartment for sale. Then answer the questions accordingly.*

LANG

IMMOBILIEN

Passau

2-Zimmer-Studenten-
Appartment, 50 m^2,
Küche, Bad, sehr gute
Ausstattung, zentral
aber ruhig in Fußgänger-
zone, **DM 196.000,–**

0 89/3 10 71 64

1. ...   2. ...   3. ...   4. ...   5. ...   6. ...

Name _____ Datum _____ Klasse _____

KAPITEL **3**

AUSSPRACHE

The *i* Sounds

A. *Repeat each word, concentrating on the long, closed* i *sound.*

die   sie   wie   dir   wir   hier   wieder   diese   sieben   Ihnen

B. *Repeat each word, concentrating on the short, open* i *sound.*

bin   bist   ich   nicht   sind   Tisch   bitte   finden   Zimmer

C. *Repeat each word pair, contrasting long, closed* i *with short, open* i.

ihm, im   Biest, bist   Miete, Mitte   bieten, bitten   ihren, irren

D. *Listen to each conversational exchange.*

1. Der Film ist interessant, nicht?
   —Nicht für mich.

2. Wieviel bitte?
   —Nicht viel. Nur 7 Mark.

3. Wann sind Sie wieder da?
   —Dienstag oder Mittwoch.

4. Studiert ihr an der Uni?
   —Sicher, aber nicht hier.

1. *The film is interesting, isn't it?*
   —*Not for me.*

2. *How much, please?*
   —*Not much. Only 7 marks.*

3. *When will you be there again?*
   —*Tuesday or Wednesday.*

4. *Do you study at the university?*
   —*Sure, but not here.*

Now, listen to the first part of each exchange again, and make the response yourself.

. . .

E. *You will hear a series of word pairs, one having long, closed* i *and the other short, open* i. *One word from each pair will be repeated. Circle the letter preceding that word.*

1. a. ihm   b. im
2. a. wir   b. wirr
3. a. Biest   b. bist
4. a. Wiesen   b. wissen

5. a. schief   b. Schiff
6. a. Miene   b. Minne
7. a. Miete   b. Mitte
8. a. rieten   b. ritten

WORTGEBRAUCH

A. Die Liste. *Assume that you are going to Germany. Do you have everything you need? A friend will go through your checklist of gifts and personal items with you. Respond according to the model.*

> BEISPIEL: Das Gepäck?
> Ja, hier ist das Gepäck.

1. ... 2. ... 3. ... 4. ... 5. ...

B. Was macht Petra? Was machen Sie? *Respond to each of Petra's statements by saying that you and your friends* (wir) *do the same thing. Follow the model.*

> BEISPIEL: Ich lese Bücher.
> Wir lesen auch Bücher.

1. ... 2. ... 3. ... 4. ... 5. ...

C. Willkommen in Deutschland. *You have just arrived in Germany. A customs official greets you and asks a couple of questions. Offer personal answers.*

> ZOLLBEAMTER: ...

GRAMMATIK

A Dialog

Frankfurt: der Flughafen. Ein Zollbeamter und Sarah sprechen miteinander.

. . .

Stimmt das oder nicht? (*Is that true or not?*) *Respond to each statement by circling* ja, nein, *or* doch *according to the dialogue you have just heard.*

1. ja nein doch   6. ja nein doch

2. ja nein doch   7. ja nein doch

3. ja nein doch   8. ja nein doch

4. ja nein doch   9. ja nein doch

5. ja nein doch   10. ja nein doch

Zum Hören und Sprechen

A. Welche Sachen sind neu? Diese . . . *Answer each question according to the model.*

> BEISPIEL: Welche Sachen sind neu?
> Diese Sachen sind neu.

1. ... 2. ... 3. ... 4. ...

B. Fotos aus Europa. *Assume that someone is showing photos from a trip to Europe and that each picture elicits a question from the viewer. You will hear each question twice. Write the missing portion as you hear it.*

1. Ist _____ sehr groß?

2. Ist _____ modern?

3. Sind _____ wirklich alt?

4. Sind _____ sehr teuer?

5. Sind _____ neu?

6. Ist _____ alt?

C. Sind das Ihre Sachen? —Ja, das sind meine Sachen. *Answer each question according to the model.*

> BEISPIEL: Ist das ihr Gepäck?
> Ja, das ist mein Gepäck.

1. ... 2. ... 3. ... 4. ... 5. ... 6. ...

D. Ihre Sachen und unsere Sachen. *According to the model, follow each statement with a question.*

> BEISPIEL: Ihre Sachen sind da drüben.
> Sind unsere Sachen auch da drüben?

1. ... 2. ... 3. ... 4. ...

E. Wer ist Heinz Baumann? *Answer each question according to the information about him.*

> Name: Heinz Baumann
>
> Nationalität: Deutscher
>
> Beruf: Zollbeamter
>
> Familienstand (*marital status*): verheiratet (*married*)
>
> Kinder: zwei

F. Ja oder nein? *A student asks you a lot of questions. Give a personal answer to each one.*

STUDENTIN: ...

B Dialog

Frankfurt: der Flughafen. Christoph und Sarah sprechen miteinander.

> ...

Was stimmt? *You will hear statements about the dialogue with two different completions. Circle the letter of the correct completion.*

1. a   b   5. a   b

2. a   b   6. a   b

3. a   b   7. a   b

4. a   b

Zum Hören und Sprechen

A. Nur eine Person. *Respond to each question according to the model.*

      BEISPIEL: Sprechen die Zollbeamten Englisch?
                        Nur ein Zollbeamter spricht Englisch.

1. . . . 2. . . . 3. . . . 4. . . .

B. Der Park. *Look at the picture and answer the questions about it.*

1. . . . 2. . . . 3. . . . 4. . . . 5. . . . 6. . . .

C. Freunde? *Claudia is very upset with her roommates. Listen to her list of grievances and complete the sentences as you hear them. You will hear each sentence twice.*

    CLAUDIA: 1. Ihr _____ zu viel.

                 2. Ihr _____ immer müde.

                 3. Ihr _____ zu viel.

                 4. Ihr _____ nie.

                 5. Ihr _____ immer etwas.

                 6. Ihr _____ selten Geschenke.

                 7. Und ihr _____ nie Geld.

D. Der Flughafen. *Assume that your two friends John and Kate have just arrived at the airport in Frankfurt. Soon they have to catch a train. Listen to their questions and answer each, beginning with the printed cue.*

JOHN: ...

   SIE: Nein, ihr ...

KATE: ...

   SIE: Ja, er ...

JOHN: ...

   SIE: Nein, er ...

KATE: ...

   SIE: Ja, sie ...

JOHN: ...

   SIE: Ja, er ...

E. Fragen. *Assume you have a new German friend who wants to get to know you better. Give a personal answer to each question.*

FREUNDIN: ...

C Dialog

Bonn: der Bahnhof. Sarah und Christoph sprechen miteinander.

...

Was fehlt? *You will hear statements based on the dialogue. You will hear each one twice. Write the missing words.*

1. Der Bus fährt von Bonn _____.
2. Der Bus nach Bad Godesberg fährt _____.
3. Sarah und Christoph haben _____.
4. Christoph sieht da drüben _____.
5. Die Telefonzelle ist sogar _____.
6. Das ist doch _____.
7. Sarah hat leider _____.
8. Christoph gibt Sarah _____.

Zum Hören und Sprechen

A. Ja oder nein? *Follow the model, and give a complete answer to each question.*

> BEISPIEL: sondern / ich spiele Tennis
> Arbeiten Sie jetzt?
> Nein, ich arbeite nicht, sondern ich spiele Tennis.

1. nein / denn ich bin müde

2. nein / sondern morgen

3. ja / und auch eine Telekarte

4. ja / aber ich esse zuerst

B. Ein Interview. *Play the role of a reporter interviewing a traveler at the Frankfurt airport. As soon as you hear the beep, say aloud the first line of the printed script that follows. Listen carefully to the answer, and then immediately continue with the next question.*

> SIE: Entschuldigung! Guten Morgen! Wie geht es Ihnen? . . .

REISENDER: . . .

> SIE: Wie heißen Sie, bitte? . . .

REISENDER: `. . .

> SIE: Woher kommen Sie? . . .

REISENDER: . . .

> SIE: Und wohin fahren Sie jetzt? . . .

REISENDER: . . .

> SIE: Warum fahren Sie nach Stuttgart? . . .

REISENDER: . . .

> SIE: Und wann fährt der Zug nach Stuttgart? . . .

REISENDER: . . .

> SIE: Also, Sie haben nicht viel Zeit. Auf Wiedersehen, Herr Kurz. Und danke. . . .

REISENDER: . . .

C. Der Gesprächspartner. *Now you will hear questions about the man you just interviewed. Circle the letter preceding the correct answer.*

1. a. Er heißt Peter Kurz.

   b. Er heißt Andreas Kurz.

2. a. Er kommt aus Bremen.

   b. Er kommt aus Berlin.

3. a. Er fährt nach Stuttgart.

   b. Er fährt nach Salzburg.

4. a. Denn er arbeitet dort.

   b. Denn er hat Freunde dort.

5. a. Er fährt um 10 Uhr 17.

   b. Er fährt um 17 Uhr 10.

D. Der Flughafen. *Study the picture, then answer each question about it.*

1. ...   2. ...   3. ...   4. ...   5. ...   6. ...   7. ...   8. ...   9. ...   10. ...

E. Billig fliegen (*fly inexpensively*). *Study the ad and answer each question you hear. Give only the necessary information.*

BILLIG FLIEGEN

Accra (S)	1429,-	Ibiza (T)	545,-	Mallorca (T)	499,-
Amsterdam (S)	ab 366,-	Istanbul (S)	450,-	Managua (S)	1619,-
Antalya (T)	690,-	Jakarta (S)	1699,-	Mexiko (S)	1619,-
Athen (S)	420,-	Kairo (S)	599,-	Nairobi (S)	1570,-
Bangkok (S)	1450,-	Kingston (S)	1430,-	New Yorck (S)	999,-
Barcelona (S)	589,-	Kreta (S)	550,-	Rom dir. (S)	450,-
Bombay (S)	1560,-	Kuala Lumpur (S)	1450,-	Saloniki (S)	510,-
Buenos Aires (S)	2140,-	Larnaca (S)	499,-	Singapur (S)	1450,-
Casablanca (S)	710,-	Lanzarote (T)	895,-	Stockholm (S)	450,-
Delhi (S)	1370,-	Lima (S)	1869,-	Sydney (S)	2319,-
Gran Canaria (T)	885,-	Lissabon dir. (S)	750,-	Tel Aviv (S)	789,-
Harare (S)	1670,-	Madrid (S)	550,-	Teneriffa (T)	875,-
Havanna (S)	1150,-	Mailand dir. (S)	430,-	Tokyo (S)	2250,-

S = Schönefeld   T = Tegel

AUTOPIA
★ REISELADEN ★

Tel. 2611 823
U-Bhf. Kurfürstenstr.
1000 Berlin 30, Kurfürstenstr.153

1. Reiseladen (*travel agency*) ...   2. ...   3. ...   4. ...   5. ...   6. ungefähr (*approximately*) ...
7. ...   8. ...

SAMMELTEXT

Listen carefully to the first paragraph of the Sammeltext.

    . . .

A. Sarah. *You will hear sentences based on the* Sammeltext. *Write the missing words as you hear them. Each sentence will be read twice.*

1. Sarah _____ gut Deutsch, denn ihre Mutter ist _____.

2. Sarah _____ gern _____ und _____

   aus Deutschland.

3. Sie _____ oft nach Europa, _____ sie hat Freunde dort.

B. Sarah und Sie. *You will hear statements about Sarah, each followed by a question about yourself. Give personal answers to the questions.*

Fragen: . . .

Listen to the second paragraph of the Sammeltext.

    . . .

C. Warum reist Sarah? *You will hear a series of questions. Circle the letter preceding the correct answer to each question.*

1. a. Ja.
   b. Nein.

2. a. Ja.
   b. Nein.

3. a. Wirtschaftspolitik in Europa.
   b. Medizin in Europa.

4. a. In Bonn.
   b. In Köln.

5. a. Nach Bremen, Mainz und Nürnberg.
   b. Nach Berlin.

6. a. Sie sieht Freunde.
   b. Sie hält Interviews.

7. a. Politiker und Professoren.
   b. Studenten und Studentinnen.

Now you will hear the last paragraph of the Sammeltext.

. . .

D. Christoph. Richtig oder falsch? *Circle R for each true statement, F for each false statement.*

1. R   F
2. R   F
3. R   F

4. R   F
5. R   F

Bonn oder Berlin? *The question of where to locate the capital for unified Germany was resolved in the summer of 1991. Look at the results of an opinion poll conducted earlier in the spring of 1991, and answer questions accordingly.*

1. ... 2. ... 3. ... 4. ... 5. ... 6. ...

KAPITEL **4**

AUSSPRACHE

The *o* Sounds

A. *Repeat each word, concentrating on the long, closed o sound.*

so   wo   hoch   groß   schon   oder   Ober   ohne   wohnen   Monat

B. *Repeat each word, concentrating on the short, open o sound.*

oft   doch   toll   sonst   dort   offen   kommen   kochen   verzollen   Tochter

C. *Repeat each word pair, contrasting long, closed o with short, open o.*

Ofen, offen   wohne, Wonne   Sohne, Sonne   Sohle, solle   Rose, Rosse

D. *Listen to each conversational exchange.*

1. **Wann kommt dein Sohn?**

   —Sonntag oder Montag.

2. **Wohnt ihr schon dort?**

   —Nein, wir wohnen noch bis Oktober hier.

3. **Was kostet so eine Wohnung?**

   —Vierhundert Dollar pro Monat.

4. **Spielst du oft Golf, Thomas?**

   —Ja, besonders morgens.

1. *When is your son coming?*

   —Sunday or Monday.

2. *Are you already living there?*

   —No, we're still living here until October.

3. *What does such an apartment cost?*

   —$400 a month.

4. *Do you often play golf, Thomas?*

   —Yes, especially in the morning.

Now listen to the first part of each exchange again, and make the response yourself.

. . .

E. *You will hear a series of word pairs, one having long, closed o and the other short, open o. One word from each pair will be repeated. Circle the letter preceding that word.*

1. a. Sohne   b. sonne
2. a. Ofen   b. offen
3. a. Rose   b. Rosse
4. a. Wohle   b. Wolle

5. a. Schoten   b. Schotten
6. a. wohne   b. Wonne
7. a. bog   b. Bock
8. a. Tone   b. Tonne

A. Hin und zurück. *Answer each question according to the ad.*

1. ...   2. ...   3. ... Gebiete (*areas*)

B. Was sehen Sie? *Look at the picture and answer each question about it.*

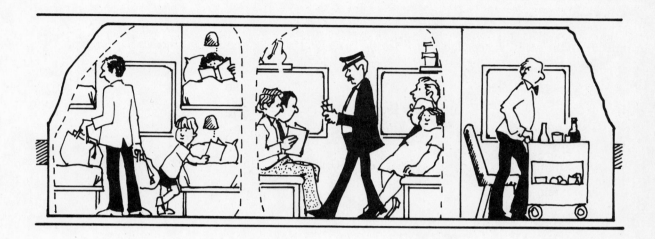

1. ...   2. ...   3. ...   4. ...   5. ...   6. ...   7. ...   8. ...   9. ...   10. ...

C. Hunger und Durst. *Assume you are in the train's dining car with a friend. Everything your friend says is true of you, too.*

      BEISPIEL: Ich habe Hunger.
                     Ich habe auch Hunger.

1. ...   2. ...   3. ...   4. ...   5. ...

D. Situationen. *Listen to the following expressions.*

    „Fahrkarten, bitte."   „Wo ist die Minibar?"
    „Was wünschen Sie, bitte?"   „Eine Fahrkarte nach Bremen, bitte."
    „Ist dieser Platz frei?"   „Cola, Kaffee, Wurst . . . "

Now you will hear questions about various situations. Write the number of the question in front of the expression that most appropriately answers it.

_____   „Fahrkarten, bitte."

_____   „Was wünschen Sie, bitte?"

_____   „Ist dieser Platz frei?"

_____   „Wo ist die Minibar?"

_____   „Eine Fahrkarte nach Bremen, bitte."

_____   „Cola, Kaffee, Wurst . . ."

GRAMMATIK

A Dialog

Der Bahnhof in Oberstdorf: der Fahrkartenschalter. Edith und der Beamte sprechen miteinander.

. . .

Stimmt das oder nicht? *Respond to each statement by circling* ja, nein, *or* doch, *in accordance with the dialogue you have just heard.*

1. ja   nein   doch
2. ja   nein   doch
3. ja   nein   doch
4. ja   nein   doch
5. ja   nein   doch

6. ja   nein   doch
7. ja   nein   doch
8. ja   nein   doch
9. ja   nein   doch
10. ja   nein   doch

Zum Hören und Sprechen

A. Was ist logisch? *You will hear questions. Circle the most appropriate answer to each.*

1. a. Einen Platz.   b. Einen Koffer.   c. Eine Cola.
2. a. Eine Stunde.   b. Eine Speisekarte.   c. Einen Junior-Paß.
3. a. Ein Messer.   b. Ein Stück Torte.   c. Einen Wagen.
4. a. Die Serviette.   b. Die Speisekarte.   c. Den Platz.
5. a. Den Preis.   b. Den Paß.   c. Das Kännchen Kaffee.
6. a. Eine Wurstplatte.   b. Eine Minibar.   c. Einen Bahnhof.

B. Peter fährt nach Düsseldorf. *Listen to the story, and then mark your answers to the true/false statements that follow.*

. . .

1. R   F
2. R   F
3. R   F
4. R   F
5. R   F

6. R   F
7. R   F
8. R   F
9. R   F
10. R   F

C. Herr Werner und sein Neffe Matthias machen heute eine Zugfahrt. *Listen to the dialogue and then circle your answers to the questions that follow.*

. . .

1. ja	nein		5. ja	nein
2. ja	nein		6. ja	nein
3. ja	nein		7. ja	nein
4. ja	nein		8. ja	nein

D. Ihr Zimmer. *Assume that someone is asking what you have in your room. Give a personal answer to each question.*

> BEISPIEL: Haben Sie eine Waschecke?
> Ja, ich habe eine Waschecke.
> *Oder*: Nein, ich habe keine Waschecke.

Fragen: . . .

B Dialog

Der Bahnhof in Oberstdorf

. . .

Was stimmt? *You will hear two conflicting statements about the dialogue. Circle the letter that corresponds to the correct statement.*

1. a	b		5. a	b
2. a	b		6. a	b
3. a	b		7. a	b
4. a	b		8. a	b

Zum Hören und Sprechen

A. Silvia hat schon alles für die Reise. *You will hear questions about various items. Answer each question positively, using pronouns.*

> BEISPIEL: Hat Silvia ihr Gepäck?
> Ja, sie hat es.

1. . . .   2. . . .   3. . . .   4. . . .   5. . . .   6. . . .

B. Wer ist Dieter Schröder? *Listen to Dieter Schröder talk about himself and his family. Then answer the questions you hear by choosing the best responses.*

DIETER SCHRÖDER: . . .

1. a. Er braucht Geld.

    b. Züge faszinieren ihn.

    c. Elektronik fasziniert ihn.

2. a. Nein, er hat Touristen nicht gern.

   b. Ja und nein. Manche Leute findet er interessant, und manche findet er uninteressant.

   c. Ja, Leute interessieren ihn.

3. a. Sie haben einen Jungen und zwei Mädchen.

   b. Sie haben nur einen Jungen.

   c. Sie haben ein Mädchen und einen Jungen.

4. a. Sie liest gern.

   b. Sie spielt gern Tennis.

   c. Sie reist gern.

5. a. Computer interessieren ihn.

   b. Er hat Computer nicht gern.

   c. Er kennt Computer nicht.

6. a. Die Boutique hat keinen Namen.

   b. Die Boutique heißt „Elkes Ecke".

   c. Der Name ist „Veronikas Ecke".

C. Die Neffen. *Mrs. Felder and Mr. Grün are talking about their nephews. You will hear the conversation twice. Write the missing words as you hear them.*

FRAU FELDER: _____ kommt heute.

HERR GRÜN: Und wie heißt er?

FRAU FELDER: _____ ist Dieter Wolf. Er kennt Ihren Freund

_____ Lehner.

HERR GRÜN: Ja, _____ Lehner ist _____

_____.

FRAU FELDER: Herr Grün, Sie haben _____, nicht?

HERR GRÜN: Ich habe _____. Sie heißen Joachim und Kurt

Schroeder.

FRAU FELDER: Ach ja? Ich kenne _____nicht. Wohnen sie hier

in Koblenz?

HERR GRÜN: Nein, _____ wohnen jetzt in Frankfurt. Ich sehe sie nicht oft.

C Dialog

Der Speisewagen. Frau Richter und Edith lesen die Speisekarte.

. . .

Was fehlt? *You will hear statements based on the dialogue. Write the missing words as you hear them. You will hear each statement twice.*

1. Edith und Frau Richter sind schon im _____

2. Sie sitzen jetzt im _____

3. Zusammen lesen sie _____

4. Frau Richter bestellt zuerst nur _____

5. Edith hat heute aber _____

6. Im Speisewagen ist _____

7. Frau Richter bestellt dann auch noch _____

8. Edith bestellt _____ und eine Cola.

Zum Hören und Sprechen

A. Was möchten die Kunden? *Assume that you are a waiter or waitress in a café. You hear polite questions formed with* wünschen. *Express each question another way using* möchten.

BEISPIEL: Wünschen Sie einen Kaffee?
Möchten Sie einen Kaffee?

1. ... 2. ... 3. ... 4. ...

B. Was möchte die Familie? *Listen as the Busch family tells what they would like to do with the money they have just inherited. Afterward you will hear questions. Write the number of the question in front of the printed answer.*

. . .

_____ Einen Computer.

_____ Einen Goldfisch, eine Katze, einen Hund (*dog*) und ein Pferd (*horse*).

_____ Eine Reise nach Spanien.

_____ Möbel, einen Eßtisch und acht Stühle.

C. Und was möchten Sie? *Someone will ask about your preferences. Give a personal answer to each question.*

Fragen: ...

SAMMELTEXT

Listen carefully to the first two paragraphs of the Sammeltext.

. . .

A. Edith und Frau Richter. *Circle the answer to each question.*

1. ja   nein   4. ja   nein   6. ja   nein

2. ja   nein   5. ja   nein   7. ja   nein

3. ja   nein

Now you will hear the last two paragraphs of the Sammeltext.

. . .

B. Richtig oder falsch? *Listen to the following statements about what you have just heard, and indicate whether they are* richtig *or* falsch.

1. R F   3. R F   5. R F

2. R F   4. R F   6. R F

C. Und hier in Amerika? *Give a personal answer to each question.*

Fragen: . . .

ANWENDUNG

Reiseverbindungen. *Look at the travel schedule and answer each question. The questions begin with the information at the top and continue to the bottom.*

Reiseverbindungen   Deutsche Bundesbahn

VON	*Bad Harzburg*			*Gültig am Freitag, dem 16.08.91*
NACH	*Regensburg Hbf*			
ÜBER	*Seesen*			

BAHNHOF		UHR	ZUG		BEMERKUNGEN
Bad Harzburg	ab	16:02	E	3530	
Göttingen	an	17:33			
	ab	18:12	IC	787	Zugrestaurant, Mini-Bar
Nürnberg Hbf	an	20:47			
	ab	20:52	IC	823	Zugrestaurant
Regensburg Hbf	an	21:53			

Angaben ohne Gewähr. Bitte Rückseite beachten. Fahrkartenausgabe Bad Harzburg

NN1

Wir wünschen Ihnen eine angenehme Reise und empfehlen Ihnen, sich vor Antritt einer Fernreise einen Platz reservieren zu lassen. Bitte legen Sie diese Reiseverbindung beim Fahrscheinkauf und bei der Platzreservierung vor.

---

1. . . . Reiseplan (*itinerary*)   2. . . .   3. . . . Passagier (*passenger*)   4. . . .   5. . . .   6. . . . Eilzug (*limited-stop train*)   7. . . .   8. . . .

KAPITEL **5**

AUSSPRACHE

The *u* Sounds

A. *Repeat each word, concentrating on the long, closed* u *sound.*

> du   gut   Zug   Buch   Stuhl   Uhr   nur   Uni   Minuten

B. *Repeat each word, concentrating on the short, open* u *sound.*

> um   und   null   Bus   unser   Wurst   Stunde   Hunger   gesund

C. *Repeat each word pair, contrasting long, closed* u *with short, open* u.

> Mus, muß   sucht, Sucht   flucht, Flucht   Buße, Busse   duzend, Dutzend

D. *Listen to each conversational exchange.*

1. Um wieviel Uhr kommt Ulrich?
   —Um acht Uhr, also in einer Stunde.

2. Probierst du auch den Butterkuchen?
   —Nein, ich habe keinen Hunger. Genug ist genug!

3. Hast du Hunger oder Durst, Mutter?
   —Ja, ich möchte Kaffee und Kuchen.

4. Studierst du an der Uni?
   —Ja, ich studiere Literatur.

1. *What time is Ulrich coming?*
   —*At 8 o'clock; that means in an hour.*

2. *Are you going to try the buttercake, too?*
   —*I'm not hungry. Enough is enough!*

3. *Are you hungry or thirsty, mother?*
   —*Yes, I'd like coffee and cake.*

4. *Do you go to the university?*
   —*Yes, I'm majoring in literature.*

Now, listen to the first part of each exchange again, and make the response yourself.

. . .

E. *You will hear a series of word pairs, one having long, closed* u *and the other short, open* u. *One word from each pair will be repeated. Circle the letter preceding that word.*

1. a. sucht   b. Sucht
2. a. Buße   b. Busse
3. a. Mus   b. muß
4. a. Huhne   b. Hunne
5. a. bucht   b. Bucht
6. a. Pudel   b. Puddel
7. a. schuft   b. Schuft
8. a. duzend   b. Dutzend

WORTGEBRAUCH

A. Wie ist das Wetter heute in Europa? *Look at the weather map that appeared in a newspaper from Thüringen, the capital city of which is Erfurt. Indicate whether each statement is* richtig *or* falsch, *according to the map.*

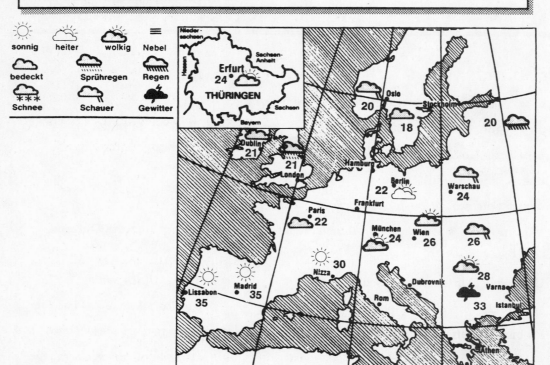

1. R   F
2. R   F
3. R   F
4. R   F
5. R   F
6. R   F
7. R   F
8. R   F
9. R   F
10. R   F
11. R   F
12. R   F

B. Wörter. *Repeat each word after the speaker. These are words you will hear in Exercise C.*

das Geschäft (*business*)
die Geschäftsfrau
die Geschäftsreise
verbringen

die Woche
die Industriestadt
das Industriegebiet

das Ruhrgebiet
die Urlaubsreise
 (*vacation trip*)
der Kurort

C. Was sagt Frau Huber? *You will hear a passage followed by questions. Circle the letters preceding the two appropriate answers to each question.*

FRAU HUBER: ...

1. a. Sie sind Geschäftsleute.
   b. Sie sind Reisepartner.
   c. Sie sind Nachbarn.

2. a. Sie machen zusammen Geschäftsreisen.
   b. Sie spielen zusammen Tennis.
   c. Sie machen zusammen Urlaubsreisen.

3. a. Sie bleiben sieben Tage in Essen.
   b. Sie verbringen sechs Tage in Essen.
   c. Sie verbringen eine Woche in Essen.

4. a. Essen ist eine Kleinstadt.
   b. Essen ist eine Großstadt.
   c. Essen ist eine Industriestadt.

5. a. Essen liegt im Ruhrgebiet.
   b. Essen liegt im Industriegebiet.
   c. Essen liegt in Süddeutschland.

6. a. Sie machen gern Spaziergänge.
   b. Sie machen gern Urlaubsreisen.
   c. Sie besuchen gern Kurorte.

D. Wo wohnen Sie? *Give a personal response to each question.*

Fragen: ...

GRAMMATIK

[A] Dialog

Die Grenze zwischen Belgien und Deutschland. Herr Schmidt, ein Deutscher aus Bremen, und Tom, sein Neffe aus Chicago, machen zusammen eine Autotour durch Deutschland.

...

Stimmt das oder nicht? *Respond to each statement by circling* ja, nein, *or* doch, *in accordance with the dialogue you have just heard.*

1. ja nein doch
2. ja nein doch
3. ja nein doch
4. ja nein doch
5. ja nein doch
6. ja nein doch
7. ja nein doch
8. ja nein doch

Zum Hören und Sprechen

A. Ein Spaziergang. *You will hear a phone conversation between Heidi and Konrad, followed by statements about the conversation. Indicate whether they are* richtig *or* falsch.

...

treffen (trifft) *to meet* ...

| 1. | R | F | | 3. | R | F | | 5. | R | F |
| 2. | R | F | | 4. | R | F | | 6. | R | F |

B. Camping. *You will hear an advertisement twice. Complete the chart as you hear the information.*

das Zelt, -e

Länder: Frankreich, Spanien, Italien und _____.

Preis für sechs Personen pro Nacht: von _____ bis _____ Mark.

Name: _____ Reisen.

Telefon: _____.

C. Sylt. *Look at the ad and answer the questions about it.*

1.	ja	nein		4.	ja	nein
2.	ja	nein		5.	ja	nein
3.	ja	nein

D. Das ist Geschmackssache (*a question of taste*). *Listen to each question and circle your preference.*

1. durch die Karibik   durch Deutschland

2. eine Insel wie Sylt   einen Kurort in Süddeutschland

3. durch das Ruhrgebiet   durch den Schwarzwald

4. ein Hotelzimmer   ein Zelt

5. für eine Woche   für einen Monat

6. ohne meine Familie   ohne meine Freunde

B Hörtext

Tom schreibt eine Postkarte an zwei Bekannte in Bremen.

TOM: ...

Was stimmt? *You will hear statements based on Tom's postcard, each with two different completions. Only one of them is right. Circle the letter preceding the correct completion.*

1. a   b   5. a   b

2. a   b   6. a   b

3. a   b   7. a   b

4. a   b

Zum Hören und Sprechen

A. Christa hat eine Reise gemacht. Was sagt sie darüber? *Complete the basic information in the chart as you hear it. You will hear the passage twice.*

CHRISTA: ...

Was? eine _____

Wohin? nach _____

Sehenswürdigkeiten (*sights*):   der Magdeburger _____

                       das _____ Unser Lieben Frauen

                       die Nikolai-_____

                       der _____ Rotehorn

Schiffsfahrt auf der Elbe: Dauer: _____

                       Kosten: _____

B. Gestern abend. *Listen to the following dialogue between Nora and Karin, and then choose the correct answer to each question.*

     ...

1. a. Sie hat bis halb neun gearbeitet.

   b. Sie hat bis neun gearbeitet.

   c. Sie hat bis halb acht gearbeitet.

2. a. Sie haben Tennis gespielt.

   b. Sie haben Karten gekauft.

   c. Sie haben Karten gespielt.

3. a. Sie hat Englisch gelernt.

   b. Sie hat Spanisch gelernt.

   c. Sie hat Französisch gelernt.

4. a. Sie hat ihren Freund besucht.

   b. Sie hat ihren Nachbarn besucht.

   c. Sie hat ihren Neffen besucht.

5. a. Sie haben nichts gemacht.

   b. Sie haben Musik gehört.

   c. Sie haben Golf gespielt.

C. Reisen macht Spaß (*fun*). *Listen as Mr. Weber tells what he and his wife did last summer. Then indicate whether each statement that follows is* richtig *or* falsch.

BERND WEBER: . . .

1. R   F   4. R   F   7. R   F

2. R   F   5. R   F   8. R   F

3. R   F   6. R   F

D. Was haben die Studenten und Studentinnen gemacht? *Mrs. Wagner teaches a German class at an American university. Listen as the students tell what they did yesterday. You will hear the conversation twice. Write the missing words as you hear them.*

FRAU WAGNER: Stephanie, was _____ du gestern _____?

STEPHANIE: Ich habe _____.

FRAU WAGNER: Und du, Martin?

MARTIN: _____ habe Deutsch _____, dann habe ich Musik

_____.

FRAU WAGNER: Melanie?

MELANIE: Ich habe einen Koffer _____. Bald mache ich eine

_____ nach Mexiko.

FRAU WAGNER: Nach Mexiko? Und _____ du Spanisch _____?

MELANIE: Ja, ich _____ schon gut Spanisch.

E. Gestern. *Offer a personal answer to each question.*

Fragen: . . .

C Dialog

Der Rennsteig. Tom und sein Onkel wandern durch den Thüringer Wald.

. . .

Was fehlt? *You will hear statements based on the dialogue. Write the missing words as you hear them. You will hear each statememt twice.*

1. Tom und sein Onkel wandern _____.

2. Dieser Weg heißt _____.

3. Herr Schmidt weiß nicht, warum man ihn so _____.

4. _____ ist sehr alt und berühmt.

5. Goethe _____ hier _____.

6. Goethe _____ das „Wandrers Nachtlied" hier _____.

7. Herr Schmidt _____ das Gedicht als Schüler schon _____.

8. Das Gedicht beginnt: „_____ . . . "

Zum Hören und Sprechen

A. Das Robbensterben. *Listen as Max discusses an important issue with his friends. Then answer each of the questions that follow.*

die Robbe,-n

MAX: . . .

1. . . . 2. . . . 3. . . . 4. . . . 5. . . .

B. So viele Fragen. *You will hear several questions, each read twice. Write the missing words as you hear them.*

1. Hat man gegen die _____ protestiert?

2. Hat man _____ das Waldsterben demonstriert?

3. Hat man gegen AIDS _____?

4. Hat man diese Probleme _____?

5. Warum hat man diese Probleme noch nicht _____?

6. Was ist _____?

7. Warum hat man nicht früher alles _____?

SAMMELTEXT

Tom und sein Onkel sind durch Deutschland gereist und haben viele Dias gemacht. Jetzt zeigt Tom die Dias und erzählt.

Listen as Tom describes the first part of the trip.

TOM: . . .

A. Was hat Tom gemacht? *Choose the better answer to each question.*

1. a. Durch Süddeutschland.

    b. Durch ganz Deutschland.

2. a. Auf Sylt.

    b. In Schwelm.

3. a. In Westerland.

    b. In Keitum.

4. a. Viele Touristen.

    b. Viele Geschäftsleute.

5. a. Strände, Dünen, Theater und Gallerien.

    b. Strände, Dünen, ein Aquarium und ein Casino.

Listen now to the next part of the trip.

TOM: . . .

B. Fragen. *Answer each question very briefly; give only the information requested.*

Fragen: . . .

ANWENDUNG

Listen now to the last part of Tom's trip.

TOM: . . .

A. Frankfurt bis Bad Wörishofen. *Choose the correct answer to each question.*

1. a. Das Goethehaus.   b. Das Elternhaus.

2. a. Viele Berge.   b. Viele Weinberge.

3. a. Den Wein.   b. Das Bier.

4. a. Eine Ferienwohnung.   b. Ein paar Flaschen Wein.

B. Adjektive für Gesundheit (health). *You will hear an ad describing various features of Bad Wörishofen. As you hear the ad, answer the printed questions with the appropriate adjectives. The ad will be read twice. Because they precede the nouns, the adjectives you hear in the ad have endings. You will learn these endings in Chapter 12. The adjectives you write to complete the listening activity require no endings.*

Gesundheit kommt von Wörishofen

BAD WÖRISHOFEN – DAS KNEIPPLAND IM UNTERALLGÄU

familiär...

KNEIPPHEILBAD WÖRISHOFEN

Rufen Sie an zum Ortstarif 0130/4745

GASTLICHKEIT MIT CHARME UND HERZ ERWARTET SIE

. . .

Adjektive: familiär, frisch, ideal, individuell, mild, perfekt, schön

Wie ist . . .

die Kurstadt? _____

die Atmosphäre? _____

das Quellwasser? _____

das Klima? _____

das Sportprogramm? _____

Wie sind . . .

die Angebote für Gesundheit, Sport und Freizeit? _____

die Wege zum Wandern? _____

KAPITEL **6**

AUSSPRACHE

The Unstressed *e* and *er* Sounds

A. *Repeat each word, concentrating on the unstressed* e *sound.*

bitte eine jede diese welche Straße Karte Beamte fragen gesehen

B. *Repeat each word, concentrating on the unstressed* er *sound.*

aber oder wieder immer über früher Vater Männer Tochter Mutter

C. *Repeat each word pair, contrasting unstressed* e *and* er.

alle, aller diese, dieser eine, einer bitte, bitter Weite, weiter

D. *Listen to each conversational exchange.*

1. Welche Fahrkarte heute, bitte?

—Immer wieder dieselbe: nach München hin und zurück.

2. Solche Bücher sind leider teuer.

—Ja, ja, keine Rose ohne Dornen, nicht wahr?

3. Dieser Koffer hat viel gekostet.

—Deine Sachen haben immer hohe Preise.

4. Hat dein Bruder zu lange geschlafen?

—Ja, leider hat er die Zeit ganz vergessen.

1. *Which ticket today please?*

—*Always the same one: round trip to Munich.*

2. *Unfortunately, such books are expensive.*

—*Right, no rose without thorns, isn't that so?*

3. *This suitcase cost a lot.*

—*Your things always have high price tags.*

4. *Did your brother sleep too long?*

—*Yes, unfortunately, he completely forgot the time.*

Now listen to the first part of each exchange again and make the response yourself.

. . .

E. *You will hear a series of word pairs, one having unstressed* e *and the other unstressed* er. *One word from each pair will be repeated. Circle the letter preceding that word.*

1. a. alle b. aller
2. a. Messe b. Messer
3. a. diese b. dieser
4. a. Wette b. Wetter

5. a. eine b. einer
6. a. Deutsche b. Deutscher
7. a. bitte b. bitter
8. a. übe b. über

WORTGEBRAUCH

A. Die Familie. *Repeat each phrase after the speaker.*

    1. ...   **2.** ...   **3.** ...   **4.** ...   **5.** ...   **6.** ...

B. Ihre Familie. *Answer each question about your own family.*

Fragen: ...

C. Kleider. *You will hear phrases concerning articles of clothing. Repeat each phrase and then give a personal answer to the question that follows it.*

    1. ...   **2.** ... Trainingshose (*sweatpants*)   **3.** ...   **4.** ...

D. Max und seine Familie. *Look carefully at the picture and answer each question accordingly.*

    1. ...   **2.** ...   **3.** ...   **4.** ...   **5.** ...   **6.** ...   **7.** ...   **8.** ...   **9.** ...   **10.** ...

E. Was hat Brigitte gestern gemacht? *Assume that you've run into Brigitte on a busy shopping street. You didn't see her yesterday. She explains why and asks you questions.*

    BRIGITTE: ...

GRAMMATIK

A Dialog

Familie Kurz. Maria, Jan und Tochter Susi wohnen in Frankfurt an der Oder. Die Familie besucht Marias Kusine Karin in Lübeck.

. . .

Da muß Ordnung 'rein! (*We've got to get organized!*)*You will hear the beginnings of sentences followed by two completions. Circle the letter of the correct completion, according to the dialogue.*

BEISPIEL: a   b

1. a   b   4. a   b
2. a   b   5. a   b
3. a   b

Zum Hören und Sprechen

A. **Was ist logisch?** *You will hear questions about Maria. Choose the most logical answer to each question.*

1. a. Einen Bruder und eine Schwester.   4. a. Den Einkaufsbummel.
    b. Jeans und eine Bluse.   b. Ihren Geburtstag.
    c. Ein Bett und einen Schrank.   c. Ihren Gürtel.

2. a. Die Erkältung.   5. a. Den Laden.
    b. Den Brief.   b. Das Marzipan.
    c. Den Geburtstag.   c. Den Pullover.

3. a. Eine Cola.   6. a. Briefe.
    b. Eine Drogerie.   b. Strumpfhosen.
    c. Eine Jacke.   c. Aspirin.

B. **Was hat Heiko gestern getan?** *Listen to the dialogue between Jutta and Heiko; then respond to the true/false statements that follow.*

. . .

1. R   F   4. R   F   7. R   F
2. R   F   5. R   F   8. R   F
3. R   F   6. R   F   9. R   F

C. Was hat Andreas gemacht? *Listen carefully to each sentence and choose the word that most logically concludes it.*

1. a. gegangen.
   b. geblieben.
   c. gefahren.

2. a. gesprochen.
   b. getragen.
   c. gefunden.

3. a. gelernt.
   b. vergessen.
   c. geschrieben.

4. a. gewaschen.
   b. gesehen.
   c. getragen.

5. a. gelandet.
   b. geworden.
   c. gegangen.

6. a. gemeint.
   b. beschrieben.
   c. gekauft.

D. Thomas hat eine Postkarte geschrieben. *Listen as Thomas reads the postcard twice. Write the missing words as you hear them.*

Liebe Eltern!

Ich bin gestern nach München _____. Ich habe schnell ein Hotel

_____. Ich habe gut _____. Heute habe ich früh

_____ und das Hotel _____. Ich bin einkaufen

_____, und ich habe Geschenke _____. Ich habe

schon viel _____ und viel _____.

Euer
Thomas

B Dialog

Maria und Jan lesen Zeitschriften.

. . .

Stimmt das oder nicht? *Respond to each statement by circling* ja *or* nein, *in accordance with the dialogue you have just heard.*

1. ja   nein
2. ja   nein
3. ja   nein
4. ja   nein
5. ja   nein

6. ja   nein
7. ja   nein
8. ja   nein
9. ja   nein
10. ja   nein

Zum Hören und Sprechen

A. Wie war alles auf der Reise? *Assume you have just taken a trip with your family. Listen to each question and complete the printed sentence to answer it.*

BEISPIEL: Waren die Kinder müde?
Nein, sie waren nicht müde.

1. Ja, wir . . .
2. Ja, sie . . .
3. Ja, sie . . .
4. Ja, er . . .
5. Nein, es . . .
6. Nein, wir . . .
7. Ja, es . . .
8. Ja, ich . . .

B. Dialog. *Listen to the dialogue between Helga and Bernd.*

. . .

Assume that, while attending a German university, you have become acquainted with Bernd. Give a personal answer to each of his questions.

BERND: . . .

C. Kinderschuhe. *A friend will ask you about the kinds of shoes you and your classmates had as children. Offer a complete answer to each question.*

Fragen: . . .

C Dialog

Ein Einkaufsbummel

. . .

Was fehlt? *Listen again to the dialogue you have just heard. Write the missing words as you hear them.*

MARIA: Ich habe _____ Schwester, _____ Bruder und _____ Eltern Geschenke versprochen.

JAN: Ich habe _____ Eltern _____ geschickt. Schokolade, Kekse und natürlich Lübecker Marzipan.

MARIA: Gute Idee. Vielleicht schicke ich _____ Eltern auch Süßigkeiten und Kaffee. _____ Schwester kaufe ich _____ Bluse und _____ Bruder _____ Trachtenjacke.

Zum Hören und Sprechen

A. Wem? *Choose the correct answer to each question.*

1. a. Der Familie.
   b. Die Familie.

2. a. Der Kunde.
   b. Dem Kunden.

3. a. Der Verkäufer.
   b. Dem Verkäufer.

4. a. Ihrer Nichte.
   b. Ihre Nichte.

5. a. Ihren Schwestern.
   b. Ihre Schwester.

6. a. Seine Freundin.
   b. Seiner Freundin.

B. Wem schenkt Ute was? *Look at the picture and answer each question.*

BEISPIEL: Schenkt Ute ihrer Schwester oder ihrer Freundin den Gürtel?
Sie schenkt ihrer Schwester den Gürtel.

1. ...   2. ...   3. ...   4. ...   5. ...

C. Ein Einkauf. *Katrin was shopping at Karstadt, a department store chain in Germany. Look at the cash register receipt, then answer the questions. Give only the information requested.*

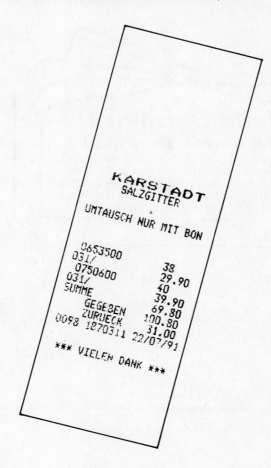

1. . . . Filiale (*branch*)   2. . . .   3. . . .   4. . . .   5. . . .   6. . . .   7. . . .   8. . . .

D. Was schenkt man? *Assume you are talking with a group of students about gift giving. Answer each question. The printed list will give you ideas.*

GESCHENKE

Parfüm	Schokolade	Kleider
Briefpapier	Jeans	Hemden
Bücher	Marzipan	Blusen
Socken	Blumen	Geld

Fragen: . . .

E. Alles Gute! *Look at the announcement and give a brief answer to each question.*

Hallo Bernhard!
Alles Gute zu Deinem 31.
wünschen Dir: Helga, Sebastian, Anna, Tobias,
Mama, Reinhold, Brigitte, Andrea, Matthias,
Christian, Paul, Berta, Stephan, Peter, Birgit,
Eva, Oskar, Elisabeth, Johannes, Theresa,
Dominik, Thomas, Sylvia, Julian u. Nadine.

1. . . .   2. . . .   3. . . .

Und Sie? *Now give a brief personal answer to each question.*

Fragen: . . .

SAMMELTEXT

Listen to the first portion of the Sammeltext that tells about the Kurz family.

. . .

A. Nummern. *Listen to each question; then write the number of the question in front of the phrase that answers it.*

_____ 30 Mark.

_____ 48,45 Mark.

_____ Um sechs Uhr.

_____ 1800 Mark.

_____ 70 Quadratmeter.

B. *Listen to the next portion of the Sammeltext regarding the Kurz family. Write in the missing words as you hear them. The passage will be read twice.*

Susi ist nachmittags nie mit Maria einkaufen _____. Das Einkaufen dauert fast

_____ ein bis zwei Stunden, überall _____ man Schlange

_____. Eine Reise nach Westdeutschland _____ kein Konsumtrip. Sie

haben nur Kaffee und Obst, Bücher und Spielzeug _____. Das Fieberthermometer

_____ ein Luxus.

Und nach der Vereinigung? Miete und _____ für Susi im

Kindergarten, das _____ Probleme.

The next portion of the Sammeltext *concerns the Schiebel family.*

. . .

C. Familie Schiebel. *Listen to the following statements and indicate whether they are* richtig *or* falsch *by circling the appropriate letter.*

1. R F	4. R F	7. R F
2. R F	5. R F	8. R F
3. R F	6. R F	

ANWENDUNG

Als Kind und als Student. *A friend will ask you a number of questions about your eating habits and preferences. Offer a complete answer to each question.*

Fragen . . .

KAPITEL 7

AUSSPRACHE

The *ö* Sounds

A. *Repeat each word, concentrating on the long, closed ö sound.*

schön   böse   nötig   Größe   Möbel   Höfe   Goethe   lösen   luxuriös

B. *Repeat each word, concentrating on the short, open ö sound.*

Köln   zwölf   möchte   Köpfe   völlig   östlich   Töchter   Wörter   können

C. *Repeat each word pair, contrasting long, closed ö and short, open ö.*

Höhle, Hölle   blöken, Blöcken   König, könn' ich   Röslein, Rößlein

Now repeat each word pair, contrasting short, open e and short, open ö.

Gent, gönnt   helle, Hölle   stecke, Stöcke   kennen, können

D. *Listen to each conversational exchange.*

1. Haben Sie Kinder, Frau König?

   —Ja, ich habe zwei Töchter und zwei Söhne.

2. Könnten Sie mir die Wohnung beschreiben?

   —Schön möbliert und wirklich luxuriös.

3. Gibt es viele Dörfer in Österreich?

   —Ja, besonders nördlich und östlich von Wien.

4. Hör mal: zwölf Probleme verstehe ich gar nicht.

   —Naja, diese Probleme möchte ich auch lösen können.

1. *Do you have children, Mrs. König?*

   —Yes, I have two daughters and two sons.

2. *Could you describe the apartment for me?*

   —Beautifully furnished and really luxurious.

3. *Are there lots of villages in Austria?*

   —Yes, especially north and south of Vienna.

4. *Listen, there are twelve problems I don't understand at all.*

   —Well, yes, I'd like to be able to solve these problems, too.

Now, listen to the first part of each exchange again, and make the response yourself.

. . .

E. *You will hear a series of word pairs. Some pairs will contrast long, closed ö and short, open ö, whereas others will contrast short, open e and short, open ö. One word from each pair will be repeated. Circle the letter preceding that word.*

1. a. Höhle   b. Hölle
2. a. Gent   b. gönnt
3. a. Röslein   b. Rößlein
4. a. kennen   b. können

5. a. stecke   b. Stöcke
6. a. blöken   b. Blöcken
7. a. helle   b. Hölle
8. a. König   b. könn' ich

WORTGEBRAUCH

A. Was kommt jetzt im Fernsehen? *What's coming on TV now? Answer each question according to the model.*

BEISPIEL: ein Krimi →
Kommt jetzt ein Krimi?
Ja, jetzt kommt ein Krimi.

1. eine Sportsendung
2. die Werbesendungen

3. ein Film
4. eine Serie

5. die Nachrichten
6. eine Kultursendung

B. Das Fernsehen in Amerika. *Circle the appropriate answer to each question.*

1. ja   nein
2. ja   nein
3. ja   nein

4. ja   nein
5. ja   nein

C. Das Fernsehen und Sie. *Give a personal answer to each question.*

Fragen: . . .

D. Dialog. *Dagmar is going to invite you to an evening of soccer on television at Günther's house. Converse with her.*

DAGMAR: . . .

GRAMMATIK

[A] Dialog

Eine Werbesendung im Fernsehen. Ein Junge geht mit seiner Mutter einkaufen.

. . .

Wählen Sie die richtige Antwort! *You will hear questions based on the dialogue and answers to them. Circle the letter of the best answer to each question.*

BEISPIEL: Wie viele Kinder hat die Mutter?   a.   ein Mädchen

b.   einen Jungen

c.   zwei Kinder

1. a   b   c   4. a   b   c

2. a   b   c   5. a   b   c

3. a   b   c

Zum Hören und Sprechen

A. Das Elektrogeschäft. *You will hear statements, each followed by a question. Circle the correct answer to each question.*

1. a.   Ein Elektrogeschäft.   4. a.   Der Studentin.

   b.   Ein Fernseher.   b.   Dem Studenten.

   c.   Ein Radio.   c.   Den Studenten.

2. a.   Der Verkäuferin.   5. a.   Das Fernsehen.

   b.   Dem Verkäufer.   b.   Einen Fernseher.

   c.   Frau Weber.   c.   Ein Radio.

3. a.   Die Kundin.   6. a.   Ihrem Mann.

   b.   Der Verkäufer.   b.   Ihrer Mutter.

   c.   Die Verkäuferin.   c.   Ihrer Familie.

B. Eine Party. *Assume that you are entertaining your friends. Each time someone requests something, say you'll bring it.*

BEISPIEL: Ich möchte ein Bier.
            Ich bringe es dir.

1. ...   2. ...   3. ...   4. ...

C. Die Fernsehserie: eine Episode. *You will hear a brief introduction to a television episode. Listen carefully and then mark the correct answer to each question that follows.*

. . .

1. a. Ihr Mann.

    b. Ihr Kind.

    c. Ihr Neffe.

2. a. Ihrem Sohn.

    b. Ihrer Tochter.

    c. Ihren Kindern.

3. a. Dem Verkäufer.

    b. Der Kundin.

    c. Der Verkäuferin.

4. a. Das Kind.

    b. Die Verkäuferin.

    c. Der Verkäufer.

5. a. Frau Schultz dreht sich um und geht nach Hause.

    b. Frau Schultz dreht sich um, aber ihr Kind ist nicht mehr da.

    c. Frau Schultz dreht sich um und sieht den kleinen Josef.

B Dialog

Konrad Kurz macht heute das Abendessen. Seine Frau sieht fern.

. . .

Richtig oder falsch?

1. R   F   4. R   F   7. R   F
2. R   F   5. R   F   8. R   F
3. R   F   6. R   F

Zum Hören und Sprechen

A.   Ein Krimi. *Assume that a detective is asking questions about your neighbors. Mark the correct answer to each question.*

1. a. Es gehört der Familie Busch.   4. a. Ja, sie gefallen mir.

    b. Die Familie Busch gehört ihm.   b. Ja, ich gefalle ihnen.

2. a. Es gehört meinem Nachbarn.   5. a. Ja, sie helfen mir.

    b. Mein Nachbar gehört ihm.   b. Ja, ich helfe ihnen.

3. a. Ja, er nützt ihm.   6. a. Ja, sie danken mir.

    b. Ja, es nützt ihm.   b. Ja, ich danke ihnen.

B.   Der Einkaufsbummel. *Sigrid and her mother, Mrs. Krüger, are shopping for new clothes. Sigrid has just stepped out of a dressing room. Listen to the dialogue, then mark your answers to the true/false statements that follow.*

. . .

1. R   F   3. R   F   5. R   F
2. R   F   4. R   F   6. R   F

C. Die Familie hat Geschenke bekommen. *Look at the picture; then answer each question you hear.*

1. ... 2. ... 3. ... 4. ... 5. ...

D. Unter uns. *Assume that you are having a chat with a friend. Give a personal answer to each question.*

Fragen: ...

C Dialog

Ein Fernsehabend bei der Familie Kurz

. . .

Was fehlt? *You will hear sentences retelling the dialogue. Write the missing words as you hear them. You will hear each sentence twice.*

1. Angela und Konrad Kurz sind _____ zu Hause.

2. Angela und Konrad _____.

3. _____ interessiert Angela gar nicht.

4. Der Fernseher läuft schon _____.

5. Nach den _____ kommt Fußball.

6. Konrads _____ kommen heute abend zu ihm.

7. Angela _____ dann mit ihrer Freundin _____ .

8. Konrad bleibt _____ zu Hause.

Zum Hören und Sprechen

A. Wer ist Rudi Benesch? *Listen as Rudi tells about himself, and then answer each question that follows.*

RUDI BENESCH: ...

1. ... 2. ... 3. ... 4. ... 5. ... 6. ...

B. Eine Einkaufsstraße. *Look at the picture, then give a complete answer to each question, according to the picture or according to logic.*

...

1. ... 2. ... 3. ... 4. ... 5. ... 6. ... 7. ... 8. ...

C. Ein Fernsehabend. *Listen as Mr. Reuter tells what is happening this evening. You will hear the passage twice. Write the missing phrases as you hear them.*

HERR REUTER: Wir sind _____. Das Fernsehen läuft _____

_____. Jetzt gibt's nichts _____

_____. Um sechs Uhr kommt meine Mutter

_____. Sie bleibt heute abend _____

_____. Meine Frau und ich gehen _____

_____. Wir möchten _____

einen Film sehen. Der Film kommt um sieben Uhr _____

_____

D. Und Sie? *Give a personal answer to each question.*

Fragen: . . .

SAMMELTEXT

Listen to the first portion of the Sammeltext.

. . .

A. Das Fernsehen in Deutschland. Richtig oder falsch?

1. R F   4. R F   6. R F

2. R F   5. R F   7. R F

3. R F

Listen now to the second half of the Sammeltext.

. . .

B. Wie gut kennen Sie die deutschen Fernsehsendungen? *Answer the following questions.*

Fragen: . . .

C. Wie ist das Fernsehen in Amerika? *Assume that a German friend wants to know your views about television. Give a personal answer to each question.*

Fragen: . . .

ANWENDUNG

Die Tageszeitungen in Berlin. *Look at the chart as you listen to a brief commentary. Then answer questions based on the information in the chart.*

NEUE PRESSEMETROPOLE

Die 15 Tages-zeitungen in Gesamt-Berlin	*BZ* Auflage: 388 000 Ullstein GmbH (Axel Springer Verlag)	Berliner Zeitung Auflage: 300 000 Berliner Verlag (Gruner + Jahr, Maxwell) *früher: SED*	BERLINER MORGENPOST Auflage: 233 000 Ullstein GmbH (Axel Springer Verlag)
Neues Deutschland Auflage: 220 000 Neues Deutschland Druckerei und Verlag GmbH *PDS, früher: SED*	JUNGE WELT Auflage: 180 000 Verlag Junge Welt GmbH *früher: FDJ*	DER TAGESSPIEGEL Auflage: 146 000 Der Tagesspiegel GmbH	B.Z. KURIER Auflage: 130 000 Berliner Verlag (Gruner + Jahr, Maxwell) *früher: SED*
Bild BERLIN Auflage: 111 000 Axel Springer Verlag	Tribüne Auflage: 90 000 Verlag „Wirtschaft & Markt" *früher: FDGB* (DDR-Gewerkschaftsbund)	sportecho Auflage: 70 000 Sportverlag GmbH (beteiligt: Axel Springer Verlag)	NEUE ZEIT Auflage: 50 000 Verlag Neue Zeit (Frankfurter Allgemeine Zeitung) *früher: Ost-CDU*
Der **Morgen** Auflage: 45 000 Der Morgen Verlagsgesell- schaft mbH (Axel Springer Verlag), *früher: LDPD*	die tageszeitung (taz Berlin) Auflage: 30 000 TAZ Verlags- und Vertriebs-GmbH	VOLKSBLATT Auflage: 29 000 Erich Lezinsky Verlag und Buchdruckerei GmbH (beteiligt: Axel Springer Verlag)	OSSI Start: 14.Februar 1991 Druckauflage: 300 000 Allgemeine Zeitungs- verlag GmbH

DER SPIEGEL

die Auflage   *circulation*
Gesamt-Berlin   *all of Berlin*
GmbH = Gesellschaft mit beschränkter Haftung   *limited company, Ltd.*
der Verlag   *publishing company*

FDJ = Freie Deutsche Jugend (Ex-DDR)
FDFB = Freier Deutscher Gewerkschaftsbund (Ex-DDR)
LDPD = Liberal-Demokratische Partei Deutschlands (Ex-DDR)
Ost-CDU = Christlich-Demokratische Union (Ex-DDR)
SED = Sozialistische Einheitspartei Deutschlands (Ex-DDR)

. . .

1. . . .   2. . . .   3. . . .   4. . . .   5. . . .   6. . . .

Und Sie? *Give a personal response to each question.*

Fragen: . . .

KAPITEL 8

AUSSPRACHE

The *ü* Sounds

A. *Repeat each word, concentrating on the long, closed* ü *sound.*

für fühlt Tüte Stühle über früher Bücher drüben spülen typisch

B. *Repeat each word, concentrating on the short, open* ü *sound.*

fünf Stück Flüsse zurück rhythmisch Schlüssel Mütter wünschen müssen gültig

C. *Repeat each word pair, concentrating on long, closed* ü *and short, open* ü.

fühlen, füllen   Hüte, Hütte   führst, Fürst   Düne, dünne

Now repeat each word pair, concentrating on long, closed ü *and long, closed* i.

fühlen, vielen   für, vier   lügen, liegen   Bühne, Biene   Düne, diene

D. *Listen to each conversational exchange.*

1. Wofür ist so eine Tüte?

   —So eine Tüte ist nur für Bücher.

2. Was wünschen Sie zum Frühstück, Frau Müller?

   —Nichts, zum Glück habe ich schon gefrühstückt.

3. Was nützen mir diese vielen Stühle?

   —Die Stühle sind für die Schüler und Schülerinnen.

4. Und sieht man hier viel von der Natur?

   —Ja, natürlich. Überall gibt es Hügel und Flüsse.

1. *What is such a bag for?*

   —*This kind of sack is only for books.*

2. *What would you like for breakfast, Mrs. Müller?*

   —*Nothing. Fortunately, I've already had breakfast.*

3. *What good are all these chairs to me?*

   —*The chairs are for the pupils.*

4. *And do you see a lot of nature here?*

   —*Yes, indeed. There are hills and rivers everywhere.*

Now listen to the first part of each exchange again, and make the response yourself.

. . .

E.   *You will hear a series of word pairs. Some will contrast long, closed ü and short, open ü, whereas others will contrast long, closed ü and long, closed i. One word from each pair will be repeated. Circle the letter preceding that word*

1.	a. fühlen	b. füllen		5.	a. Hüte	b. Hütte
2.	a. Düne	b. dünne		6.	a. fühlen	b. vielen
3.	a. lügen	b. Lücken		7.	a. Düne	b. diene
4.	a. Wüste	b. wüßte		8.	a. lügen	b. liegen

WORTGEBRAUCH

A. Sie sind neu in der Stadt. *You will hear the names of different places. Ask if each place is far away. Follow the model.*

> BEISPIEL: der Bahnhof
> Ist der Bahnhof weit weg?

1. ...   2. ...   3. ...   4. ...

B. Im Hotel. *Assume that you have just arrived at a hotel. Ask where one finds each of the areas named. Follow the model.*

> BEISPIEL: der Eingang
> Wo findet man den Eingang?

1. ...   2. ...   3. ...   4. ...

C. Wo finde ich wen? *Answer each question with the most appropriate phrase from the list. Follow the model.*

> BEISPIEL: Wo finde ich den Empfangschef?
> Sie finden ihn am Empfang.

im Frühstücksraum	im Flur	auf der Straße
im Postamt	am Empfang	im Hotel
in der Bäckerei	im Hotelzimmer oder im Flur	in der Drogerie

1. ...   2. ...   3. ...   4. ...   5. ...   6. ...   7. ...   8. ...

D. Und wie beschreiben Sie Ihre Stadt? *A guest asks questions about your city. Answer each with a complete sentence.*

> GAST: ...

GRAMMATIK

A Dialog

Frühstück. Frau Kronz sitzt allein an einem Tisch neben dem Fenster. Die Kellnerin bringt ein Tablett mit Frühstück und stellt es auf den Tisch.

> ...

Stop the tape and do the next exercise. Then check your answers in the answer key.

Da muß Ordnung 'rein! *Complete the following sentences by matching the appropriate fragments.*

_____ 1. Das Wetter heute

_____ 2. Frau Kronz möchte gern

_____ 3. Frau Kronz setzt sich

_____ 4. Die Kellnerin bringt

a. draußen an einen Tisch.

b. ist sehr schön.

c. das Frühstück auf die Terrasse.

d. auf der Terrasse frühstücken.

Zum Hören und Sprechen

A. Wo oder wohin? *Answer each question according to the cues.*

BEISPIELE: auf / die Terrasse →
Wo frühstücken die Gäste?
Sie frühstücken auf der Terrasse.

in / das Zimmer →
Wohin geht die Zimmerkellnerin?
Sie geht ins Zimmer.

1. in / der Flur

2. auf / der Tisch

3. an / der Empfang

4. vor / das Hotel

5. in / die Küche

6. auf / das Zimmer

B. Herr und Frau Kandel. *Look at the picture and listen to the description; then respond to the true/false statements that follow.*

. . .

1. R   F

2. R   F

3. R   F

4. R   F

5. R   F

6. R   F

7. R   F

8. R   F

C. **Das Hotelzimmer.** *Look again at the picture in Exercise B; then answer each question about it.*

    1. . . .   2. . . .   3. . . .   4. . . .   5. . . .   6. Kniet Herr Kandel . . . ? *(Is Mr. Kandel kneeling . . . ?)*   7. . . .

D. **Sie sind jetzt im Hotel.** *Assume that you're in a hotel and it's breakfast time. The waiter greets you. Give a personal answer to each question he asks.*

    DER OBER: . . .

Now your traveling companion has a couple of questions for you.

    IHR REISEBEGLEITER: . . .

E. **Café Tomasa.** *Look at the ad for the Café Tomasa. Then give a short answer to each question, according to the ad or your personal preference.*

    1. . . .   2. . . .   3. . . .   4. . . .   5. . . .

B Dialog

Das Hotel zum Adler: der Empfang. Der Vater arbeitet als Empfangschef, und der Sohn arbeitet in den Schulferien als Gepäckträger.

    . . .

Wählen Sie die richtige Antwort! Im Hotel zum Adler. *You will hear questions based on the dialogue and answers to them. Circle the letter of the best answer to each question.*

    BEISPIEL: a   b   c

    1. a   b   c   4. a   b   c

    2. a   b   c   5. a   b   c

    3. a   b   c   6. a   b   c

Zum Hören und Sprechen

A. Was macht man im Hotel? *Tell someone what to do step by step, as you hear the instructions.*

> BEISPIEL: Man geht an den Empfang.
> Gehen Sie an den Empfang!

1. ...   2. ...   3. ...   4. ...

B. Wie kommt Ihr Freund zum Hotel? *Assume that a friend of yours wants to go to a hotel. Direct him or her there by restating the directions in another way.*

> BEISPIEL: Du gehst rechts in die Gartenstraße.
> Geh rechts in die Gartenstraße!

1. ...   2. ...   3. ...   4. ...

C. Wie antworten Sie Ihren Freunden? *Your friends mention things they'd like to do. Tell them to go ahead and do those things.*

> BEISPIEL: Wir möchten jetzt frühstücken.
> Frühstückt jetzt!

1. ...   2. ...   3. ...   4. ...

D. Ihr Freund möchte Ihnen helfen. *Assume that a friend is helping you move a few things into your apartment. Your friend asks where to put each item. Offer a suggestion each time. The drawing and the list of prepositions will help. If you wish, you may sketch in each item as you answer.*

> BEISPIEL: Wohin lege ich diese Bücher?
> Lege sie (in die Ecke)!

auf	neben	vor
hinter	über	zwischen
in	unter	

1. ... 2. ... 3. ... 4. ... 5. ... 6. ...

[C] Dialog

Das Hotel zum Adler. Zwei Gäste stehen vor dem Aufzug.

. . .

Was fehlt? *You will hear sentences retelling the dialogue. Write missing words as you hear them. You will hear each sentence twice.*

1. Die zwei Gäste stehen _____.

2. Herr und Frau Gruber sind _____.

3. Das Wetter an diesem Morgen ist _____.

4. Herr Gruber möchte gerne _____.

5. Frau Gruber möchte aber _____ frühstücken.

6. Die Grubers _____ das Frühstück im Hotel doch schon _____.

7. Herr und Frau Gruber _____ also im Hotel.

8. Herr Gruber möchte aber dann _____ in die Stadt gehen.

Zum Hören und Sprechen

A. Ja, machen wir das zusammen! *Agree with each of your friend's ideas and suggest you do it together. Follow the model.*

    BEISPIEL: Möchtest du in die Stadt fahren?
                  Ja, fahren wir in die Stadt!

1. ... 2. ... 3. ... 4. ...

B. Zu wem sagt Frau Kessel das Folgende? *Identify the person to whom Frau Kessel would make each suggestion.*

Frau Kessel sagt das . . .

1. a. zu ihrem Kind.
   b. zu zwei Jungen.
   c. zu einem Beamten.

2. a. zu ihrem Mann.
   b. zu ihren Kindern.
   c. zu einer Verkäuferin.

3. a. zu ihren Freundinnen.
   b. zu einer Kellnerin.
   c. zu ihrer Freundin.

4. a. zu ihrer Tochter.
   b. zu ihrem Sohn.
   c. zu ihren Nichten.

5. a. zu dem Ober.
   b. zu ihrer Tochter.
   c. zu der Empfangschefin.

6. (sparsam *thrifty*)
   a. zu ihrem Mann und ihren Kindern.
   b. zu einem Zollbeamten.
   c. zu einer Schaffnerin.

C. Was machen Sie und Ihre Freunde heute? *Assume that you and your friends are trying to decide what to do. Respond affirmatively to the suggestion you hear; then listen for an expansion of it.*

BEISPIEL: IHR FREUND: Einen Film sehen?
   SIE: Ja, sehen wir einen Film!
   IHRE FREUNDIN: Ja, sehen wir einen Film in der Stadt!

1. . . .   2. . . .   3. . . .   4. . . .

D. Herr Köhler. *You will hear questions about Mr. Köhler. Give a complete answer to each question, using the information provided.*

1. seit drei Monaten
2. montags bis freitags
3. Samstag morgens
4. fast nie
5. nach Bonn
6. mit Geschäftsleuten (*business people*)

SAMMELTEXT

Listen to the introduction to the Sammeltext.

   . . .

A. Freunde. *Give a complete answer to each question about Susan's friends.*

1. . . .   2. . . .   3. . . .   4. . . .

Listen now as Susan reads the first part of her letter to Jan and Paul.

SUSAN: . . .

B. Wo? *Write the number of the question in front of the correct answer.*

_____ Überall auf dem Land.

_____ Im Fremdenverkehrsamt.

_____ Besonders im Osten.

_____ Am Bahnhof.

Listen now as Susan reads the rest of her letter.

SUSAN: . . .

C. Sie schreiben einen Brief aus Deutschland. *You will hear the following letter twice. Write the missing words as you hear them. First, however, complete the salutation with a name of your choice and the appropriate ending on lieb:* lieber *for a male,* liebe *for a female.*

Lieb_____!

Endlich bekommst Du einen Brief von mir. _____ nicht _____ , denn ich

weiß schon, ich bin etwas _____ . _____

bin ich in Hamburg. Ich habe Glück _____ in

Deutschland. Ich nehme immer ein Zimmer ohne Bad und spare so viel Geld. Das WC und die

Dusche sind aber gleich _____

_____ meines Hotels spielen Straßenmusikanten. Man

hört solche Musiker auch _____

_____ mir bitte bald. Ich bleibe noch drei Wochen hier.

Dein_____

_____

Lynn schreibt Notizen in ihr Tagebuch. *Listen to Lynn read her notes in her diary.*

LYNN: . . .

Stop the tape and do the next exercise. Then check your answers in the answer key.

D. Hotels in Deutschland. *Complete the following sentences by circling the letter of the correct completion, according to the information you have heard.*

1. In Luxushotels bekommt man Einzelzimmer oder Doppelzimmer . . .

   a. ohne Bad, Telefon, Fernseher und Klimaanlage.

   b. mit Bad, Telefon, Fernseher und Klimaanlage.

2. Meistens ist . . .

   a. das Frühstück im Preis inbegriffen.

   b. das Abendessen im Preis inbegriffen.

3. In alten Hotels bekommt man Halbpension, das heißt: . . .

   a. Frühstück und Mittagessen sind im Preis inbegriffen.

   b. Man bekommt nur ein Einzelzimmer ohne Bad.

4. Heute sind Luxushotels im Osten ...

    a. **nur für** Parteimitglieder.

    b. **wieder** Privatbetriebe.

ANWENDUNG

In einer Pension. *Read the ad for Pension Neubert. Then listen to it as it is read aloud. Give a brief answer to each question about it. First, listen to a few new words.*

Mitten im fränkischen Weinland liegt Nordheim. Die Landschaft, der Frankenwein und heimische Spezialitäten bieten Ihnen abwechslungsreiche Ferientage. Wir wünschen Ihnen schon heute viel Spaß und gute Erholung in unserem Hause!

IHRE FAMILIE NEUBERT

Doppelzimmer
mit Dusche / WC
und reichhaltigem Frühstück

Ferienwohnung
für 2 bis 5 Personen
– auf Wunsch mit Frühstück –

Pension Neubert

abwechslungsreich   *varied, rich in variation*
die Erholung   *relaxation*
heimisch   *native, local, regional*

    . . .

Fragen: . . .

Rollenspiel: in der Pension. *Assume that you are talking with the desk clerk at Pension Neubert. Give an answer to each question he asks.*

    EMPFANGSCHEF: . . .

KAPITEL **9**

AUSSPRACHE

The *au*, *ei*, and *eu* Sounds

A. *Repeat each word, concentrating on the particular diphthong.*

aus	ein	neu
auf	nein	Deutsch
auch	Mai	Freund
außer	frei	euch
laut	Zeit	läuft
Haus	Preis	teuer
Frau	Reise	Häuser
kaufen	meinen	Leute
Pause	zeigen	Europa
genau	schreiben	bedeuten

B. *Repeat each word pair, contrasting au and ei.*

   aus, Eis   Haus, heiß   Rauch, Reich   lauter, Leiter   rauben, reiben

C. *Repeat each word pair, contrasting ei and eu.*

   Eier, euer   Scheine, Scheune   freien, freuen   leite, Leute   leise, Läuse

D. *Repeat each word pair, contrasting au and eu.*

   Schau, scheu   traue, treue   Laute, Leute   rauhen, reuen   Schaume, Schäume

E. *Listen to each conversational exchange.*

1. Dein Haus ist leider nicht besonders groß.

   —Naja, klein aber mein.

2. Sprechen deine Kinder auch schon etwas Deutsch?

   —Ja, aber bei weitem noch nicht laut oder deutlich genug.

3. Bleibt er in Europa immer bei Freunden?

   —Nein, er bleibt meistens lieber in Hotels.

1. *Too bad your house isn't particularly large.*

   —*Well, it may be small but it's mine.*

2. *Do your children also speak some German?*

   —*Yes, but not yet loudly or clearly enough by a long shot.*

3. *Does he always stay with friends in Europe?*

   —*No, for the most part, he prefers to stay in hotels.*

4. Wie oft schreibst du deiner Frau, wenn du auf Reisen bist?

—Wenn ich auf Reisen bin, schreibe ich ihr meist nur freitags.

4. *How often do you write to your wife when you are traveling?*

—When I'm traveling, I mostly write her just on Fridays.

Now listen to the first part of each exchange again, and make the response yourself.

. . .

F. *You will hear a series of word pairs contrasting the various diphthongs. One word from each pair will be repeated. Circle the letter preceding that word.*

1. a. Haus   b. heiß
2. a. nein   b. neun
3. a. traue   b. treue
4. a. freien   b. freuen

5. a. Schau   b. scheu
6. a. Eile   b. Eule
7. a. Scheine b. Scheune
8. a. leichter b. Leuchter

WORTGEBRAUCH

A. Ein Einfamilienhaus. *Assume that you are a real estate agent and your client is interested in a particular house. Answer each question according to the floor plan.*

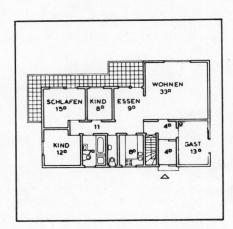

1. . . .   2. . . .   3. . . .   4. . . .   5. . . .   6. . . .   7. . . .   8. . . .

B. Wo möchten Sie wohnen? *You need a place to live. Someone from a rental agency interviews you. Give a personal answer to each question.*

Fragen: . . .

GRAMMATIK

A Dialog

Die Schuberts haben ein Grundstück gekauft und werden jetzt ein Haus bauen. Sie sprechen mit der Architektin, Frau Kitz, über ihre Pläne.

. . .

Was fehlt? *Listen again to the dialogue, writing the missing words as you hear them.*

HERR SCHUBERT: Sie _____ es mit uns gar nicht so leicht haben, Frau Kitz. Wir

_____ groß _____ aber klein

_____. Was macht man schon mit 110

_____?

FRAU KITZ: _____ sehr viel. Dieses Problem _____ wir

hier nur zu gut. Unser _____ ist: „Klein aber mein". Ich

_____ Ihnen gerne _____. Sagen Sie mir aber

genau, was Sie _____.

Zum Hören und Sprechen

A. Was wird Andreas in ein paar Jahren tun? *Listen as Andreas discusses what he will do in a few years. True/false statements will follow.*

ANDREAS: . . .

1. R   F

2. R   F

3. R   F

4. R   F

5. R   F

B. Wo wird die Familie wohl sein? *Assume that you have gone to a family's house, but no one is there. Listen as a neighbor suggests where individual members might be. Then indicate which conclusions are logical (L) and which are illogical (U) based on what you've heard.*

. . .

1. L   U

2. L   U

3. L   U

4. L   U

5. L   U

6. L   U

C. Was werden Sie in fünf Jahren tun? *Give a personal answer to each question.*

Fragen: . . .

B Dialog

Im Blumenladen: Gretchen (fünf Jahre alt) und ihr Vater, Herr Schubert, kaufen Blumen.

. . .

Richtig oder falsch? *Respond to each statement by circling* R *for* richtig, *if it is true, or* F *for* falsch, *if it is false.*

1. R F   4. R F   7. R F

2. R F   5. R F   8. R F

3. R F   6. R F

Zum Hören und Sprechen

A. Die neue Nachbarschaft. *Mrs. Miller has just moved to Germany from the United States and has questions. Write the missing words as you hear them. You will hear each question twice.*

1. _____ die Kinder vor dem Mietshaus _____?

2. _____ man eine Gebühr für jeden Fernseher _____?

3. _____ wir alle Türen _____?

4. _____ die Kinder die Blumen _____?

5. _____ man im Flur _____?

6. Wer _____ den Rasen _____?

7. _____ die Nachbarn uns _____?

8. Ich _____ die Garagentür nicht _____. Otto,

   _____ du mir _____?

B. Was macht Paula heute? *Listen to Paula's story; then choose the appropriate answer to each question.*

PAULA: . . .

1. a. Es ist Samstag und heute ist niemand in der Schule.

   b. Sie hat eine Erkältung und muß zu Hause bleiben.

2. a. Die Eltern sind beide bei der Arbeit.

   b. Die Eltern sind zusammen auf Geschäftsreise.

3. a. Denn sie ist allein zu Hause.

   b. Denn sie kocht nicht gern.

4. a. Sie will nur fernsehen.

   b. Sie will mit ihren Freundinnen telefonieren.

5. a. Sie kann Tee machen.

   b. Sie kann lesen und fernsehen.

6. a. Sie schreibt Briefe.

   b. Sie hört Radio und manchmal schläft sie.

C. Und Sie? *Your friends ask a number of questions. Give a personal answer to each.*

Fragen: . . .

D. Was für ein Haus wollen Sie? *Give a personal answer to each question.*

Fragen: . . .

C̄ Dialog

Im Wohnzimmer. Die Oma besucht heute Gretchen und ihre Schwester, Helene.

. . .

Stop the tape and do the next exercise. Then check your answers in the answer key.

Wählen Sie die richtige Antwort! *Complete the following sentences by circling the letter of the best completion.*

BEISPIEL: Gretchen, Helene und Oma   a.   sind im Restaurant.

                                                       b.   besuchen eine Bäckerei.

                                                      (c.)   sitzen im Wohnzimmer.

1.   Helene und Gretchen   a.   haben Kuchen gekauft.

                                                     b.   haben Rezepte gekauft.

                                                     c.   haben Kuchen gebacken.

2.   Helene hat für Oma   a.   einen Käsekuchen gemacht.

                                                     b.   einen Gugelhupf gemacht.

                                                     c.   einen Nußkuchen gemacht.

3.   Gretchen hat für Oma   a.   einen Käsekuchen gemacht.

                                                     b.   einen Gugelhupf gemacht.

                                                     c.   einen Nußkuchen gemacht.

4.   Oma ißt ein Stück   a.   vom Nußkuchen.

                                                     b.   von beiden Kuchen.

                                                     c.   vom Gugelhupf.

5.   Die Rezepte sind   a.   von Oma.

                                                     b.   von Helene.

                                                     c.   von Gretchen.

6.   Oma hat sie gefragt: a.   „Ist der Gugelhupf lecker?"

                                                     b.   „Ist der Nußkuchen ausgezeichnet?"

                                                     c.   „Sind das wirklich meine Rezepte?"

Zum Hören und Sprechen

A. Beste Freunde. *Say that Peter did everything his friend Hans did.*

> BEISPIEL: **Hans hat sein Zimmer geputzt. Und Peter?**
> **Er hat seins auch geputzt.**

1. ... 2. ... 3. ... 4. ... 5. ... 6. ...

B. Und Sie? *Give a personal response to each statement.*

> BEISPIEL: **Ich habe einen Fernseher.**
> **Ich habe auch einen.**
> *Oder*: **Ich habe keinen.**

Fragen: ...

SAMMELTEXT

Listen to the first paragraph of the Sammeltext.

. . .

A. Zu Hause in Deutschland. *Indicate whether each statement is true or false.*

1. R   F   3. R   F

2. R   F   4. R   F

Listen now to the next portion of the Sammeltext.

. . .

B. Was sagt man? *Write the number of the question in front of the sentence that answers it.*

_____ „Mach die Tür zu, es zieht!"

_____ „Das darfst du nie wieder tun!"

_____ „Tante Emma hat ihr Bett auch noch nicht gemacht!"

_____ „Ruhe da unten!"

_____ „Warum muß ich immer alle Türen schließen?"

_____ „Das ist sicher bloß eine Gewohnheit."

C. Was sagt man zu Gretchen und ihren Freunden? *Say each statement in another way, using* werden.

> BEISPIEL: **Gretchen, das darfst du nicht tun.**
> **Gretchen, das wirst du nicht tun.**

1. ... 2. ... 3. ...

Now you will hear the last paragraph of the Sammeltext.

. . .

D. Ihre Nachbarschaft. *You will be asked questions about what it was like in your neighborhood when you were growing up. Give a personal response to each question.*

Fragen: . . .

ANWENDUNG

Möchten Sie eine Wohnung in Lugano in der Schweiz haben? *Look at the ad and give a brief answer to each question according to the ad or your personal preference.*

Fragen: . . .

KAPITEL 10

AUSSPRACHE

The *l* and *r* Sounds

A. *Repeat each word, concentrating on the l sound.*

viel halb null laut klein leben Schüler spielen vielleicht ideal

B. *Repeat each word, concentrating on the r sound.*

groß Preis rechts Strom Radio fragen sprechen fahren Industrie Vertreter

C. *Repeat each word pair, contrasting l and r.*

leicht, reicht   lau, rauh   kalte, Karte   viel, vier   hell, Herr

D. *Listen to each conversational exchange.*

1. Möchten die Herren ein helles oder ein dunkles Bier?

   —Herr Groß möchte ein helles, Herr Klein ein dunkles.

2. Moment, Karin, so schnell kann ich nicht laufen.

   —Gut, halten wir dann und bleiben wir eine Weile hier.

3. Arbeiten wir oder spielen wir zuerst?

   —Wir sollten den Lehrer halt fragen.

4. Fahren die Leute sofort zum Flugplatz?

   —Nein, sie fliegen erst um halb zwölf.

1. *Would the gentlemen like a light or a dark beer?*

   —Mr. Gross would like a light beer and Mr. Klein a dark one.

2. *Wait up a minute, Karin, I can't run that fast.*

   —OK, let's stop then and stay here awhile.

3. *Do we study or do we play first?*

   —We should just go ask the teacher.

4. *Are the people leaving for the airport right away?*

   —No, they don't take off until eleven-thirty.

Now listen to the first part of each exchange again, and make the response yourself.

   . . .

E. *You will hear a series of word pairs, one word having l and the other r. One word from each pair will be repeated. Circle the letter preceding that word.*

1.	a.	fühlen	b.	führen	5.	a.	lau	b.	rauh
2.	a.	viel	b.	vier	6.	a.	alt	b.	Art
3.	a.	walten	b.	warten	7.	a.	leicht	b.	reicht
4.	a.	Höhlen	b.	hören	8.	a.	halten	b.	harten

WORTGEBRAUCH

A. Im Theater und im Kino. *Mark the correct answer to each question.*

1. a. Dramatiker und Dramatikerinnen.

   b. Regisseure und Regisseurinnen.

2. a. In einem Theater.

   b. In einem Kino.

3. a. Filme.

   b. Theaterstücke.

4. a. Während der Pause.

   b. Während der Vorstellung.

5. a. Theaterbesucher und Theaterbesucherinnen.

   b. Schauspieler und Schauspielerinnen.

B. Filme. *Read the film schedule; then give a brief answer to each question.*

SO 12.	♀	18.15 & 20.15 Uhr	**HIROSHIMA MON AMOUR** J/F 1959 - R: Alain Resnais - DB: Marguerite Duras - K: Sacha Vierny, Takahashi Michio - M: Giovanni Fusco, Georges Delerue - D: Emmanuelle Riva, Eiji Okada, Bernard Fresson, Stella Dassa u.a. - L: 90 Min. - O.m.U. - Präd.: wertvoll
MO 13.	♀	18.15 & 20.15 Uhr	**40qm DEUTSCHLAND** BRD 1985 - R+DB: Tevfik Baser - K: Izzet Akay - D: Ozay Fecht, Yaman Okay, Demir Gohgol - L: 80 Min. - Dt.F. Präd.: besonders wertvoll
DI 14.		18.15 & 20.15 Uhr	**DIE STILLE UM CHRISTINE M.** (De Stilte rond Christine M.) NL 1982 - R+DB: Marleen Gorris - K: Frans Bromet - M: Cox Habbema, Nelly Frija, Henriette Tol, Edda Barends u.a. - L: 92 Min. - Dt. F.
MI 15.	♀	18.15 & 20.15 Uhr	**DIE MACHT DER MÄNNER IST DIE GEDULD DER FRAUEN** BRD 1978 - R+DB: Cristina Perincioli - K: Katia Forbert Petersen - M: Flying Lesbians - D: Elisabeth Walinski
DO 16.	♀	17.30 & 20.00 Uhr	**DIE GEKAUFTE FRAU** (Gebroken Spiegels) NL 1984 - R+DB: Marleen Gorris - K: Frans Bromet - M: Georges Bossaers - D: Lineke Rijxman, Henriette Tol, Coba Stunnenberg, Carla Hardy u.a. - L: 110 Min. - Dt.F.
FR 17.	♀	18.15 & 20.15 Uhr	**KEINE LOVE STORY …** (Not A Love Story …) CD 1981 - R+DB: Bonnie Sherr Klein, unter Mitarbeit von Linda Lee Tracy - K: Yves Gendron, Pierre Letarte - L: 69 Min. - Dt.F.
SA 18.	♀	18.15 & 20.15 Uhr	**DIE PAPIERNE BRÜCKE** A 1987 - R+ Konzept: Ruth Beckermann - K: Nurith Aviv, Peter Elstner, Bernd Neuburger - M: Arvo Part - Mitwirkende: Rabbi Wassermann, Herbert Gropper, Salo u. Betty Beckermann, Menachem Golan u.a. - L: 92 Min. - Dt. O.F.
SO 19.	♀	18.15 & 20.15 Uhr »Der Film des Monats«	**FRIDA KAHLO** (Frida Kahlo - Naturaleza Viva) MEX 1984 - R: Paul Leduc - DB: Jose Joaquin Blanco, Paul Leduc - K: Angel Goded, Jose Luis Esparza - D: Ofelia Medina, Juan Jose Gurrola, Salvador Sanchez, Max Kerlow, Claudio Brook - L: 108 Min. - Dt.F.
MO 20.	♀		

qm = Quadratmeter *square meters*
die Stille *silence*
die Macht *power*
die Geduld *patience*
die Brücke *bridge*
Frida Kahlo *artist from Mexico and wife of the painter Diego Rivera*

1. …   2. …   3. …   4. …   5. …   6. …   7. …   8. …

C. Möchten Sie heute abend ins Kino gehen? *Assume that your friends Willi and Maria invite you to see a movie with them. Give a personal answer to each of their questions.*

> WILLI: ...
> MARIA: ...

GRAMMATIK

A Dialog

Martin ist ein Austauschschüler aus New York. Während er ein Jahr lang auf ein Gymnasium in Deutschland geht, lebt er bei einer deutschen Familie. Margit ist eine Klassenkameradin. Martin trifft sie auf der Straße vor seinem Haus.

...

Stimmt das oder nicht? *Respond to each statement by circling* ja, nein, *or* doch, *in accord with the dialogue you have just heard.*

1. ja   nein   doch   6. ja   nein   doch

2. ja   nein   doch   7. ja   nein   doch

3. ja   nein   doch   8. ja   nein   doch

4. ja   nein   doch   9. ja   nein   doch

5. ja   nein   doch   10. ja   nein   doch

Zum Hören und Sprechen

A. Wann kann Richard ins Kino gehen? *Listen as someone talks about Richard; then write the number of each question you hear in front of the correct answer.*

...

Fragen:

_____ Weil er Geld für sein Studium braucht.

_____ Weil die Eintrittskarten (*admission tickets*) da nicht viel Geld kosten.

_____ Weil er im Studentencafé arbeiten muß.

_____ Weil er samstags nicht arbeitet.

B. Was machen die Hellers heute abend? *Listen as Thomas Heller relates his plans for this evening; then indicate whether each statement that follows is* richtig *or* falsch.

```
theater
am hechtplatz
```
Täglich 20.00 Uhr (ausser Montag)
sonntags 19.00 Uhr
Stephanie Glaser in
Und iiich?
Komödie von Maria Pacôme
Dialektfassung: **Urs Widmer**
Regie: **Rolf Lyssy**
Julia Vonderlinn / Erich Vock /
Sabina Schneebeli / Marcello de Nardo

THOMAS HELLER: . . .

1. R   F   3. R   F

2. R   F   4. R   F

C. Freunde. *Write the number of each question in front of the phrase that answers it most logically.*

_____   Wieviel eine Theaterkarte kostet.

_____   Damit sie alle zusammen ins Theater gehen können.

_____   Weil sie ein Auto kaufen will.

_____   Nachdem sie ein Theaterstück gesehen haben.

B Dialog

Im Foyer während der Pause. Martin and Margit wollen etwas trinken. Weil aber viele Theaterbesucher dasselbe wollen, müssen sie Schlange stehen.

        . . .

Stop the tape and do the next exercise. Then check your answers in the answer key.

Da muß Ordnung 'rein! *Complete the following sentences by matching the appropriate parts.*

_____ 1. Das Stück gefällt Margit   a. auf englisch statt auf deutsch.

_____ 2. Die „Dreigroschenoper"   b. hat Margits Vater besonders gefallen.

_____ 3. Martin kennt aber   c. daß Martin auf deutsch singt.

_____ 4. Die Moritat singt Martin   d. eine popularisierte „Dreigroschenoper".

_____ 5. Margit will,   e. wegen der Musik von Kurt Weill.

Zum Hören und Sprechen

A. Der Fernsehabend zu Hause. *Look at the printed question, and write in the missing phrase as it is read. You will hear each question twice.*

1. Möchtest du _____ etwas essen?

2. Können wir _____ etwas anderes sehen?

3. Mußt du immer _____ sprechen?

4. Können wir _____ das Radio hören?

5. Müssen wir _____ zu Hause bleiben?

6. Können wir morgen _____ Theaterkarten

   kaufen?

B. Ein Film von Fassbinder. *Listen to a few new words you will encounter in the ad for a movie to be shown on television. Then read the ad before you listen to a simplified version of it.*

die Tränen   *tears*
angelegt   *calculated*
der Emanzipationsversuch   *attempt at emancipation*
die Modeschöpferin   *fashion designer*
die Beziehung   *relationship*
ehrgeizig   *ambitious*
geraten (gerät), ist geraten   *to get into*

Die bitteren Tränen der Petra von Kant
von Rainer Werner Fassbinder
Dieses virtuos inszenierte Fassbinder-Melodram (BRD 1971) erzählt die Geschichte des falsch angelegten Emanzipationsversuchs einer Modeschöpferin (Margit Carstensen), die in eine problematische Beziehung zu einer ehrgeizigen Karrierefrau (Hanna Schygulla) gerät. Ein Film über, aber nicht nur für Frauen.
Donnerstag, 25.7.
23.10 Uhr, ZDF

. . .

Stop the tape and do the next exercise. Then check your answers in the answer key.

Die bitteren Tränen . . . *Complete the following sentences by circling the letter of the correct completion.*

1. Dieser Film erzählt die Geschichte . . .

   a. des Emanzipationsversuchs einer Modeschöpferin.

   b. einer Beziehung zwischen einem Mann und einer Frau.

2. Margit Carstensen spielt . . .

   a. die Rolle eines Fotomodells.

   b. die Rolle der Modeschöpferin.

3. Hanna Schygulla spielt . . .

   a. die Rolle der Karrierefrau.

   b. die Rolle einer Hausfrau.

4. Dieser Film ist . . .

   a. nur für Frauen.

   b. über zwei Frauen.

Now give a brief answer to each question, using the information in the printed advertisement.

1. . . .   2. . . .   3. . . .   4. . . .   5. . . .   6. . . .

C Dialog

Margit und Martin lesen das Kinoprogramm in der Zeitung. Man wird Stummfilme der zwanziger Jahre zeigen. Sie sprechen darüber.

. . .

Was fehlt? *Listen again to part of the dialogue and write the missing words as you hear them.*

MARGIT: Du _____ doch so für Stummfilme. _____, am Freitag kommt

Murnaus „Nosferatu".

MARTIN: _____? Ich _____ den Film schon einmal _____.

Max Schreck in der _____ des Nosferatu _____ mich sehr

_____. Ist er nicht _____?

Zum Hören und Sprechen

A. Thomas und sein Sohn Adam. *Look at the picture. Then give an answer to each question, using a* da-*compound whenever possible.*

1. . . .   2. . . .   3. . . .   4. . . .   5. . . .   6. . . .   7. . . .   8. . . .   9. . . .   10. . . .

B.   Marlene. *Listen as Susi talks about her plans for the evening. Then mark the correct answer to each question that follows.*

SUSI: . . .

**Wohltätigkeits-Matinee
Sonntag, 2. Dezember, 11.00 Uhr**

in Anwesenheit und mit Unterstützung vieler beliebter
Schauspieler aus den „goldenen Zeiten" des deutschen Films.

MARLENE

Ein Film von Maximilian Schell

**Ausgezeichnet mit dem Bundesfilmpreis, dem Bayerischen Filmpreis
und dem Prädikat Besonders wertvoll.**

„Ein besonderes Vergnügen: Sie ist gescheit, frech, souverän.
Ein Film mit Witz und Liebe." Frankfurter Rundschau

**P.S. Weitere Sonntags-Matinéen mit „Marlene" am 9., 16., 23. und
30. Dezember jeweils um 11.00 Uhr.**

ARRI-KINO
**Türkenstraße 91 · München-Schwabing
Telefon: 39 33 33**

1.   a.   Mit ihren Freunden.

     b.   Mit ihren Freundinnen.

2.   a.   Vom Leben des berühmten Stars Maximilian Schell.

     b.   Vom Leben des berühmten Stars Marlene Dietrich.

3.   a.   Im Arri-Kino.

     b.   Im Arri-Theater.

4.   a.   In Frankfurt.

     b.   In München.

5.   a.   Um elf Uhr.

     b.   Um acht Uhr.

6.   a.   Am Sonntag.

     b.   Am Samstag.

C. Ein Videoabend. *Write the missing phrase or clause as you hear it. You will hear each sentence twice.*

1. Die ganze Familie verbringt den Abend _____

2. Die Mutter, der Vater und die zwei Kinder sitzen _____

3. Der Hund liegt auf dem Boden _____

4. Die Katze liegt _____

5. Die Oma steht _____

6. Ein Vogel sitzt _____

7. Das Mädchen hat eine Puppe auf dem Schoß, _____

_____

Now answer each question according to the preceding picture. Remember to use a da- *compound in place of a preposition plus pronoun, unless the pronoun refers to a person. In that case, use the pronoun.*

1. ... 2. ... 3. ... 4. ... 5. ... 6. ...

SAMMELTEXT

Listen to the first portion of the Sammeltext, *a summary of Michael Ende's "Die unendliche Geschichte."*

...

A. Der Held der Geschichte. *Give a brief answer to each question.*

1. ... 2. ... 3. ... 4. ... 5. ... 6. ... 7. ...

Listen to the next portion of the Sammeltext.

...

B. Was passiert? *Indicate whether each statement is* richtig *or* falsch.

1. R   F   4. R   F

2. R   F   5. R   F

3. R   F

Listen now to a condensed version of the end of the story. Bastian finds himself in the world of Phantasien *and then returns to the real world.*

. . .

C. Bastian und Sie. *Give a personal answer to each question.*

Fragen: . . .

ANWENDUNG

Ein Konzert. Marianne ist Musikstudentin an einer amerikanischen Universität. 1991 hat sie eine Reise nach Europa gemacht und hat zwei Wochen in Deutschland verbracht. Dort hat sie besonders gern Konzerte besucht.

Look at the ticket, and give a short answer to each question.

1. . . .   2. . . .   3. . . .   4. . . . 5. . . .   6. . . .   7. . . .

Und Sie? *Give a personal response to each question.*

Fragen: . . .

KAPITEL **11**

AUSSPRACHE

The *ch* and *sch* Sounds

A. *Repeat each word, concentrating on the palatal* ch *sound.*

ich dich mich sich durch Mädchen möchte Küche richtig Gespräch

B. *Repeat each word, concentrating on the guttural* ch *sound.*

ach nach Buch doch hoch Besuch machen Sachen brachte versuchen

C. *Repeat each word, concentrating on the* sch *sound.*

Schild Stadt still Schuh Fisch Straße Schule schreiben spielen sprechen

D. *Repeat each word pair, contrasting the palatal* ch *and the* sch *sounds.*

mich, misch   Kirche, Kirsche   Männchen, Menschen

Now repeat each word pair, contrasting the guttural ch *and the* sch *sounds.*

Rauch, Rausch   flache, Flasche   Buch, Busch

Now repeat each word pair, contrasting the k *and guttural* ch *sounds.*

Bug, Buch   Magd, macht   nackt, Nacht

E. *Listen to each conversational exchange.*

1. Für sie gehe ich durch dick und dünn.
   —Ich nicht.

2. Solche Sachen sind doch letzten Endes wichtig, nicht?
   —Da hast du recht: sehr wichtig.

3. Ich muß sagen, das Stück war weder Fisch noch Fleisch.
   —Ach, es war doch gar nicht so schlecht.

4. Machst du auch gern Geschäftsreisen?
   —Ehrlich gesagt mache ich mir nichts aus Geschäftsreisen.

1. *I'll go through thick and thin for her.*
   —Not me.

2. *In the final analysis such things are important, aren't they?*
   —You're right: very important.

3. *I have to say that play was neither fish nor fowl.*
   —Oh, it wasn't all that bad.

4. *Do you also like to take business trips?*
   —Honestly, they really don't mean anything to me.

Now listen to the first part of each exchange again, and make the response yourself.

. . .

F. *You will hear a series of word pairs contrasting the various* k, ch *and* sch *sounds. One word from each pair will be repeated. Circle the letter preceding that word.*

1. a. mich   b. misch   5. a. Buch   b. Busch

2. a. flache   b. Flasche   6. a. Magd   b. macht

3. a. log   b. Loch   7. a. Kirche   b. Kirsche

4. a. Männchen   b. Menschen   8. a. Rauch   b. Rausch

WORTGEBRAUCH

A. Wo ist Marburg? *Answer each question according to the information on the map.*

1. ... 2. ... 3. ... 4. ...

B. Wie gut kennen Sie Marburg an der Lahn? *Select the correct answer to each question.*

1. a. Marburg ist eine Industriestadt.

    b. Marburg ist eine Universitätsstadt.

2. a. Die Wartburg ist ein Dorf.

    b. Die Wartburg ist ein Schloß.

3. a. Die Elisabethkirche und das Michelchen sind Kirchen.

   b. Die Elisabethkirche und das Michelchen sind Schlösser.

4. a. Man findet das Rathaus neben dem Schloß.

   b. Man findet das Rathaus in der Altstadt.

5. a. Man findet das Schloß auf dem Berg.

   b. Man findet das Schloß an dem Fluß.

C. Sie sind Tourist/Touristin in Marburg. *Assume that you are about to be taken on a tour of Marburg. Converse with your guide.*

FREMDENFÜHRER: ...

GRAMMATIK

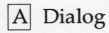 Dialog

Anne-Marie und Petra sind zwei Schülerinnen einer Gymnasialklasse, die an einem Wandertag Marburg besucht. Die Schüler, die schon etwas ungeduldig geworden sind, sitzen zusammen im Tour-Bus, während der Fremdenführer durch das Mikrophon spricht.

. . .

Stop the tape and do the next exercise. Then check your answers in the answer key.

Die Stunde der Wahrheit. *React to the following statements based on the dialogue you have just heard. If you agree with the statements, say so (Das stimmt). If you disagree, supply the correct information.*

BEISPIELE: Anne-Marie und Petra besuchen Marburg.
            Das stimmt.

            Anne-Marie und Petra sind Studentinnen.
            Nein, sie sind Schülerinnen.
Oder: Nein, Schülerinnen.

1. Der Fremdenführer spricht auf Englisch.

   _____

2. Anne-Marie und Petra sprechen über das Wetter.

   _____

3. Martin Luther hat in dem Michelchen gepredigt.

   _____

4. Anne-Marie hat diese Rede über Marburg noch nie gehört.

   _____

5. Beide Schülerinnen finden die Rede des Fremdenführers interessant.

   _____

6. Nur eine Schülerin findet die Rede langweilig.

   _____

7. Der Fremdenführer findet Wandertage für ältere Schüler blöd.

   _____

8. Petra bewundert die heilige Elisabeth sehr.

   _____

Zum Hören und Sprechen

A. Wer sind diese Leute, und was machen sie? *Answer each question according to the picture.*

1. ... 2. ... 3. ... 4. ... 5. ... 6. ... 7. ... 8. ... 9. ... 10. ...

B. Was ist das? *Answer each question with a single sentence that includes a relative clause. Use the given information in your answer.*

> BEISPIEL: Das ist ein Schloß. Es ist sehr berühmt. →
> Was ist Neuschwanstein?
> Das ist ein Schloß, das sehr berühmt ist.

1. Das ist eine Kirche. Sie steht in Marburg.

2. Das ist ein Dorf. Es ist sehr alt und romantisch.

3. Das ist eine Stadt. Sie liegt an der Elbe.

4. Das ist ein Fluß. Er fließt durch die Schweiz und die Bundesrepublik.

5. Das ist ein See. Er liegt zwischen der Schweiz und der Bundesrepublik.

C. Klatsch (*gossip*). *Mr. and Mrs. Fischer are at a party, where they question their host about some of the guests. Each question will be said twice. Write the missing words as you hear them.*

1. Woher kommt die Frau, _____
   _____

2. Wo ist der Autor, _____
   _____

3. Ist das die Schauspielerin, _____
   _____

4. Wie heißt der Mann da, _____
   _____

5. Kennen Sie die Leute, _____
   _____

6. Wo sind der Mann und die Frau, _____

B Hörtext

Der Rattenfänger von Hameln

. . .

Schreiben Sie es nieder! *You will hear sentences reviewing the content of the dialogue. Write them exactly as you hear them. You will hear each sentence twice.*

1. _____
2. _____
3. _____
4. _____
   _____
5. _____
   _____
6. _____
   _____
7. _____
   _____
8. _____
   _____

Zum Hören und Sprechen

A. Wie war das Leben im Mittelalter? *You will hear each question twice. Write the missing words as you hear them.*

1. Wer _____ lesen?

2. Wer _____ ins Schloß gehen?

3. Wer _____ arbeiten?

4. Wer _____ auf dem Dorf wohnen?

5. Wer _____ immer mehr haben?

6. Wer _____ den Status quo nicht?

B. Der König und sein Sohn. *Listen to the following story; then answer questions about it.*

. . .

1. . . . 2. . . . 3. . . . 4. . . . 5. . . . 6. . . . 7. . . . 8. . . .

C. Gabi. *Listen as Gabi tells about her childhood; then respond to the true/false statements that follow. First, however, listen to the new phrases you will hear in the story.*

im Freien *outdoors* frische Luft *fresh air*

GABI: . . .

1. R   F 3. R   F 5. R   F

2. R   F 4. R   F 6. R   F

D. Und als Sie ein Kind waren? *Imagine that your friend is asking you questions about your childhood. Give a personal answer to each.*

Fragen: . . .

C Hörtext

Die Weiber von Weinsberg

. . .

Stop the tape and do the next exercise. Then check your answers in the answer key.

Was ist passiert? *Answer the following questions based on the text you have just heard.*

1. Wer eroberte die Stadt Weinsberg?

_____

2. Was wollte der General?

_____

3. Was durften die Frauen am nächsten Tag machen?

_____

4. Was machten die Frauen in der Nacht?

_____

5. Warum hatten die Frauen so viel Angst?

_____

6. Was machten die Frauen am nächsten Tag?

_____

7. Wie reagierte (*reacted*) der General auf die Idee der Frauen?

_____

8. Wer hat die Männer von Weinsberg gerettet?

_____

Zum Hören und Sprechen

A. Wie es war ... *Listen carefully to each sentence; then restate it using the given verb that has a similar meaning.*

BEISPIEL: sein → liegen
Das Dorf war im Wald.
Das Dorf lag im Wald.

1. stammen → kommen

2. sein → heißen

3. geboren werden → zur Welt kommen

4. sein → bleiben

5. machen → tun

6. reisen → fahren

B. Was machten die Schüler und Schülerinnen während der Zugfahrt? *The passage will be read twice. Write the missing verbs as you hear them.*

Konrad _____ eine Postkarte, und Maria _____ ein Buch. Angelika

_____ neben Maria und _____. Stefan _____ ein Brot, und

Margret _____ Cola. Liesl und Karin _____, und Peter

_____ mit dem Lehrer.

SAMMELTEXT

Die Geschichte von Elisabeth aus Marburg. *Listen to the first two paragraphs of the* Sammeltext.

. . .

A. Elisabeth und die Elisabethkirche. *Indicate whether each sentence is true or false.*

1. R   F   3. R   F   5. R   F

2. R   F   4. R   F   6. R   F

Now listen to the second half of the Sammeltext.

. . .

B. Was ist passiert? *Give an answer to each question you hear.*

1. . . . 2. . . . 3. . . . 4. . . . 5. . . . 6. . . . 7. . . . 8. . . . 9. . . . 10 . . . .

ANWENDUNG

A. Das Goslarer Zinnfiguren Museum. *Look at the ad and give a brief answer to each question about it. The requested information begins at the top of the ad and follows in order.*

Zinnfiguren erzählen Geschichte und Geschichten

Über 100 Dioramen – viele 1000 Figuren – eig. Werkstatt – Verkauf. Sonderausstellung der **KLIO Berlin:** Das europäische Mittelalter – von Karl dem Großen bis zur Entdeckung Amerikas.

Goslar, Münzstraße 11, Telefon (0 53 21) 2 58 89. ffnungszeiten: täglich von 10.00–17.00 Uhr.

FÖRDERKREIS

G·O·S·L·A·R·E·R ZINNFIGUREN MUSEUM

die Zinnfigur, -en *pewter figure*
Karl der Große *Charlemagne*
die Entdeckung, -en *discovery*

1. . . . 2. . . . 3. . . . 4. . . . 5. . . .

B. Was interessiert Sie, wenn Sie reisen? *Give a personal answer to each question.*

Fragen: . . .

KAPITEL **12**

AUSSPRACHE

The *s*, *z*, and *ts* Sounds

A. *Repeat each word, concentrating on the voiceless* s *sound.*

aus Bus Spaß Gast Eis alles essen außer passieren Terrasse

B. *Repeat each word, concentrating on the voiced* z *sound.*

sein seit See böse also gesund Sache lesen sehen singen

C. *Repeat each word, concentrating on the* ts *sound.*

zu Zug zum zur kurz Zeitung Zimmer sitzen Gesetz zusammen

D. *Repeat each word pair, contrasting the voiceless* s *and voiced* z *sounds.*

reißen, reisen fassen, Phasen wessen, Wesen Rosse, Rose

Now repeat each word pair, contrasting the voiced z *and* ts *sounds.*

so, Zoo soll, Zoll seit, Zeit seh'n, zehn

Now repeat each word pair, contrasting the voiceless s *and* ts *sounds.*

Reis, Reiz Schuß, Schutz Kurs, kurz heißen, heizen

E. *Listen to each conversational exchange.*

1. Könntest du das große Fenster bitte zumachen?

   —Ja sicher, hier zieht es etwas.

2. Also Spaß beseite, wann geht's zum Mittagessen?

   —Unser Tisch ist schon für zwölf Uhr reserviert.

3. Ich weiß nicht, wann ich zum letzten Mal so gut gegessen habe.

   —Na, das hättest du viel früher sagen sollen.

1. *Would you please close the big window?*

   —*Sure, it is somewhat drafty here.*

2. *All kidding aside, when do we go to lunch?*

   —*Our table is already reserved for noon.*

3. *I don't know when I last ate so well.*

   —*Well, you should have said that a lot sooner.*

4. Diese Plätze sind sicher schon besetzt.

—Woher wissen Sie denn das?

4. *For sure these places are already taken.*

—How do you know that?

Now listen to the first part of each exchange again, and make the response yourself.

. . .

F. *You will hear a series of word pairs contrasting the voiceless* s, *the voiced* z, *and the* ts *sounds. One word from each pair will be repeated. Circle the letter preceding that word.*

1. a. soll   b. Zoll
2. a. reißen   b. reisen
3. a. Kurs   b. kurz
4. a. seh'n   b. zehn

5. a. wessen   b. Wesen
6. a. Schuß   b. Schutz
7. a. so   b. Zoo
8. a. Kassel   b. Kasel

WORTGEBRAUCH

A. **Wie kann man das noch sagen?** *Respond to each statement you hear by choosing and reading one of the printed statements that has a similar meaning.*

BEISPIEL: Man sagt: Ich habe Durst.
Man kann auch sagen: Ich bin durstig.

Man kann auch sagen:

Mahlzeit!

Diese Speise schmeckt mir.

Ich habe Hunger.

Ich möchte eine Nachspeise.

Das ist eine Spezialität.

B. **Was ist das?** *Listen to each question and then write the number of the question in front of the sentence that answers it.*

_____ Das ist ein Restaurant oder ein Lokal.

_____ Das ist ein Gast, der sehr oft in ein Restaurant kommt.

_____ Dort kann man schnell etwas essen und trinken.

_____ Das ist ein Restaurant auf dem Land, das auch Zimmer hat.

_____ Das ist ein Tisch, der für Stammgäste reserviert ist.

C. **Viktor muß einkaufen gehen. Er hat eine Liste gemacht.** *Answer each question according to Viktor's list.*

Äpfel

Schinken

4 Kartoffeln

Eis

Rotwein

1. ...   2. ...   3. ...   4. ...   5. ...   6. ...

D. Feierabend (*after work*). *You and your friend have spent a busy day. Listen and give personal responses to the suggestions.*

FREUND: ...

GRAMMATIK

A Dialog

Herr und Frau Braun—junge, berufstätige Leute—sind eines Abends auf dem Weg nach Hause.

. . .

Was fehlt? *You will hear sentences retelling the dialogue. Write the missing words as you hear them. You will hear each sentence twice.*

1. Frau Braun hat _____.

2. Frau Braun _____ zum _____ gehen.

3. Auf dem Schnellimbiß _____ es _____ Wurst und _____ Salat.

4. Auf dem _____ gibt es frische _____ und _____ Landbrot.

5. Herr und Frau Braun machen zu Hause _____ Max.

Zum Hören und Sprechen

A. Im Geschäft. *Look at the ads and listen to what is featured this week. Then answer each question. You need only use an adjective and the name of the product in each answer.*

Deutscher
Kohlrabi
große, zarte Knollen,
Klasse I   Stück   **-.39**

Spanische
Gemüsezwiebeln   **1.49**
besonders mild
Klasse II   3 St. Netz

Einkaufen und genießen

Deutsche
Erdbeeren
aromatisch, Klasse I
500 g Schale   **1.99**

Italienische
Nektarinen
große Früchte,
saftig und süß, Kl. I
1 kg   **2.99**

Zucker
Haushaltsraffinade

1000 g Packung   **1.59**

Echter Asmussen
Rum 54 % Vol.
0,7 l Flasche   **13.99**

. . .

1. . . .   2. . . .   3. . . .   4. . . .   5. . . .   6. . . .   7. . . .

B. Was bietet dieses Restaurant? *Use the printed cues to answer each question.*

> BEISPIEL: Was für Brot hat dieses Restaurant?
> gut / französisch / Weißbrot →
> Es hat gutes französisches Weißbrot.

1. gut / deutsch / Weißwein

2. warm / dick / Suppe

3. schön / frisch / Fisch

4. teuer / klein / Nachspeisen

C. Was haben Sie lieber? *What are your preferences? Give a personal response to each question.*

Fragen: . . .

B Dialog

Herr und Frau Braun gehen zum Mittagessen.

. . .

Wählen Sie die richtige Antwort! *Choose the best answer to each question you hear.*

1. Er möchte . . .

   a. einen Ecktisch finden.

   b. einen langen Vormittag verbringen.

   c. ins nächste Restaurant gehen.

2. a. Das Telefon ist besetzt.

   b. Der Ecktisch ist besetzt.

   c. Der Stammtisch ist besetzt.

3. Sie nehmen . . .

   a. den romantischen Ecktisch.

   b. den riesigen Stammtisch.

   c. einen Tisch am Fenster.

4. a. Sie kommen heute überhaupt nicht.

   b. Sie sitzen schon an ihren reservierten Plätzen.

   c. Sie kommen erst später ins Restaurant.

5. Sie hoffen, daß . . .

   a. das Essen nicht kalt ist.

   b. der Ecktisch bald frei wird.

   c. die Stammgäste nicht kommen.

Zum Hören und Sprechen

A. Was gefällt Ihnen? *Say that you like each item you hear described. Use the adjective before the noun, as in the model.*

> BEISPIEL: Diese Bluse ist schön.
> Ja, diese schöne Bluse gefällt mir.

1. ...   2. ...   3. ...   4. ...

B. Was hat Günther gemacht? *Answer each question about Günther with a complete sentence. Use the correct form of the printed cues in your answer.*

> BEISPIEL: In welchem Hotel hat Günther gewohnt?
> dieses / alt / Hotel →
> Er hat in diesem alten Hotel gewohnt.

1. der / gelb / Bus

2. dieser / braun / Koffer

3. jedes / groß / Theater

4. manche / klein / Restaurants

5. diese / schön / Kirche

6. dieses / dick / Buch

C. Möchten Sie dieses Zimmer mieten? *Each sentence will be read twice. Fill in the missing words as you hear them.*

1. Möchten Sie das _____ Zimmer sehen?

2. Zimmer in solchen _____ Mietshäusern sind nicht zu teuer.

3. Sehen Sie das _____ Fenster und die _____ Aussicht?

4. Gefallen Ihnen die _____, _____ Möbel?

5. Man kann einen Computer auf diesen _____ Schreibtisch stellen.

6. Möchten Sie in diesem _____ Zimmer wohnen?

C Dialog

Nach dem Mittagessen

. . .

Was sagen Sie? *Assume that you have just had lunch with someone you know pretty well. Respond to what she says in your own words. You don't have to imitate the dialogue. Be yourself!*

> BEISPIEL: BEKANNTE: Ein ausgezeichnetes Mittagessen war das!
> SIE: Es war eigentlich sehr schlecht ... und auch teuer!

1. ...   2. ...   3. ...   4. ...   5. ...   6. ...

Zum Hören und Sprechen

A. Die Leute im Restaurant. *Answer each question with the correct form of the printed cue.*

> BEISPIEL: Wen sucht Hans? / unser freundlicher Ober →
> Hans sucht unseren freundlichen Ober.

1. eine große Speisekarte
2. sein alter Kunde
3. ihr neuer Bekannter
4. eine alte Frau
5. ihr kleiner Bruder
6. seine guten Freunde

B. Ein Abend im Restaurant. *Listen to each question and give a complete answer according to the picture. If the answer is negative, correct the information.*

1. ... 2. ... 3. ... 4. ... 5. ... 6. ... 7. ... 8. ...

C. Was möchten Sie? *Your friend asks about your preferences. Give a personal answer to each question. The printed list will help.*

> BEISPIEL: Was für ein Zimmer möchtest du mieten?
> Ich möchte ein kleines, gemütliches Zimmer mieten.

alt	gut	nett
neu	modern	freundlich
elegant	gemütlich	schön
romantisch	klein	berühmt
groß	teuer	jung
interessant	billig	___?___

Fragen: . . .

SAMMELTEXT

Listen to the first paragraph of the Sammeltext.

. . .

A. Wie gut kennen Sie Herrn und Frau Braun? *Indicate whether each statement is true or false, according to the* Sammeltext.

1. R   F   3. R   F   5. R   F

2. R   F   4. R   F   6. R   F

Listen now to the second paragraph of the Sammeltext.

. . .

B. Die Mahlzeit nach dem langen Arbeitstag. *Select the correct ending to each statement, according to the* Sammeltext.

1. a. ein großes, ausgezeichnetes Abendessen.

   b. eine kleine, leichte Mahlzeit.

2. a. in eine Filiale einer riesigen amerikanischen Schnellimbißkette.

   b. in einen kleinen Schnellimbiß am Rande des Marktplatzes.

3. a. hausgemachte Wurst.

   b. einen Strammen Max.

4. a. hausgemachte Salate bekommen.

   b. italienische Pizza bekommen.

5. a. kalten Aufschnitt, frisches Brot und frische Tomaten.

   b. mageren Schinken, ein frisches Ei und frisches Brot.

Now listen to the last paragraph of the Sammeltext.

. . .

C. In Deutschland und in Amerika. *You will hear a statement about life in Germany, followed by a question about life in America. Give a personal answer to each question.*

Fragen: . . .

ANWENDUNG

Ein Problem im Restaurant. *The following anecdote will be read twice; write the missing words as you hear them.*

Heute abend speist (*dines*) Herr Fein in einem _____, _____

Restaurant. Er sitzt allein auf einem _____ Stuhl an einem _____ Tisch.

_____ Rosen stehen in einer _____ Vase in der Mitte des Tisches.

_____ Kerzen (*candles*) stehen in _____ Kerzenständern (*candelabras*)

auf der _____ Tischdecke. Herr Fein bestellt die _____ Hausspezialität

und zeigt auf das Bild davon, das an der Wand hängt.

    Einige Minuten später trägt der _____ Kellner ein _____ Tablett

an den Tisch. Der _____ Gast findet das Aroma herrlich. Er erwartet (*expects*) einen

_____, _____ Fisch mit _____,

_____ Tomaten- und Zwiebelscheiben (*onion slices*), wie im Bild. Das Wasser läuft ihm

im Mund zusammen.

    Der Kellner nimmt den Teller vom Tablett und setzt ihn vor dem Gast. Aber, was ist denn das? Auf

dem _____ Teller liegt ein _____ Fisch mit _____

Zwiebel- und Tomatenscheiben.

B. Was passiert? Was macht Herr Fein? Was sagt er? Was sagt der Kellner? Was machen oder sagen andere Gäste im Restaurant? *Stop the tape and write an ending to the story. Use your imagination.*

_____

_____

_____

_____

_____

_____

_____

Name _____ Datum _____ Klasse _____

AUSSPRACHE

The Nasal Sounds

A. *Repeat each word, concentrating on the* m *sound.*

im   um   am   Dom   Mann   immer   mieten   Monat   Dame   Amerika

B. *Repeat each word, concentrating on the* n *sound.*

nahm   nett   nein   nun   und   gern   ohne   dritten   ankam   binnen

C. *Repeat each word, concentrating on the* ng *sound.*

sang   eng   fing   Junge   bringen   Hunger   Wohnungen   anfangen   unbedingt

D. *Repeat each word pair, contrasting the* m *and* n *sounds.*

am, an   kam, Kahn   wem, wen   mein, nein

Now repeat each word pair, contrasting the ng *and* nk *sounds.*

sang, sank   Engel, Enkel   singen, sinken   gesungen, gesunken

E. *Listen to each conversational exchange.*

1. Wann kommt Ihre junge Enkelin?
   —Sie kommt erst Ende Mai.

1. *When is your young granddaughter coming?*
   —She's not coming until the end of May.

2. Der Kölner Dom ist ja sehr schön.
   —Den muß ich mir dann unbedingt ansehen.

2. *The Cologne Cathedral is really very beautiful.*
   —Then I definitely have to have a look at it.

3. Der letzte Winter hat unendlich lange gedauert.
   —Wann hat er denn eigentlich angefangen?

3. *Last winter was (lit., lasted) interminably long.*
   —When did it actually start?

4. Warum singt denn niemand mehr?
   —Bei solchem Wetter möchte doch kein Mensch mehr singen.

4. *Why doesn't anyone sing anymore?*
   —Nobody wants to sing anymore in such weather.

Now listen to the first part of each exchange again, and make the response yourself.

. . .

F. *You will hear a series of word pairs contrasting the various nasal sounds. One word from each pair will be repeated. Circle the letter preceding that word.*

1. a. am   b. an   5. a. Kahn   b. kam

2. a. singen   b. sinken   6. a. Engel   b. Enkel

3. a. mein   b. nein   7. a. wem   b. wen

4. a. sang   b. sank   8. a. gesungen   b. gesunken

WORTGEBRAUCH

A. Wann wird es passieren? *Use each cue you hear to change the question.*

Wann werden Sie ankommen?

1. . . .   2. . . .   3. . . .   4. . . .

B. Das Studentenleben. *Listen to each sentence, then choose the appropriate verb to complete it.*

1. a. anrufen.   3. a. ausüben?   5. a. wiederkommen?

   b. aufstehen.   b. ausgehen?   b. mitkommen?

2. a. annehmen.   4. a. vorhaben?   6. a. aufstehen?

   b. anklopfen.   b. vorschlagen?   b. ausgehen?

C. Sie und Ihre Freunde. *Give a personal answer to each question. Refer to yourself or use the name of one or more of your friends in the answer.*

Fragen: . . .

D. Eine Party. *Susanne sees you outside the university. She tells you her plans for a party. Answer her questions.*

SUSANNE: . . .

GRAMMATIK

A Dialog

Karl, 25, studiert Maschinenbau in Aachen, und Claudia, 28, ist Assistenzärztin. Sie wohnen im Moment noch in Claudias alter Studentenbude, aber sie wollen unbedingt eine Zweizimmer-Wohnung.

. . .

Stop the tape and do the following exercise.

Bitte ergänzen Sie! *Form statements based on the dialogue by combining the sentence openers with the appropriate completion from the lettered list.*

1. _____ Karl hat ...
2. _____ Karl war ...
3. _____ In der Zeitung ...
4. _____ Die ersten zwei Anrufe ...

a. waren umsonst.
b. standen Wohnungsangebote.
c. der erste am Bahnhofskiosk.
d. eine Zeitung gekauft.

Zum Hören und Sprechen

A. Was haben die Fernsehzuschauer in der zweiten Juliwoche gesehen? *Look at the ratings chart for the second week of July in 1991; then answer each question accordingly. Note that the figures on the right denote the number of viewers and are given in millions.*

SIEGER DER WOCHE

1.	ZDF	Grand Prix der Volksmusik	8,14
2.	RTL	Wimbledon, Herren-Finale	8,05
3.	ZDF	Ein Fall für zwei	7,79
4.	ARD	Tatort: Tini	7,65
5.	ARD	Dingsda	6,47
6.	ZDF	Zwei Münchner i. Hbg. (Wh.)	6,22
7.	ZDF	Lach mal wieder	6,10
8.	ARD	Dallas	5,92
9.	ARD	Der Komödienstadel	5,74
10.	ARD	Mord im Paradies	5,38

1. ... 2. ... 3. ... 4. ...

B. Welche Sendungen haben die Kritiker die besten genannt? *The following list was compiled for the same time period as the list in Exercise A. Give brief answers according to the chart and your own opinions and experiences.*

1.	RTL	Wimbledon, Halbfin. Herren	4,51
2.	RTL	Wimbledon: Finale Damen	5,48
3.	ARD	Der erste Sommer	3,07
4.	ZDF	Eins zu Eins	2,99
5.	ZDF	Reportage: Aids in Rio	3,39
6.	ZDF	Die Brücken von Toko-Ri	5,24
7.	ZDF	Bilder, die Geschichte m.	4,84
8.	ARD	Veranda (Vranitzky/Simmel)	1,11
9.	ZDF	Flußparadies Usumacinta	2,70
10.	ARD	Golden Girls	2,45

1. ... 2. ... 3. ... 4. ... 5. ... 6. ... 7. ... 8. ...

C. Wichtige Daten. *Answer each question with a complete sentence according to the calendar.*

BEISPIEL: Wann ist die Hochzeit?
Die Hochzeit ist am zehnten.

Mo	Di	Mi	Do	Fr	Sa	So
			1	2 Pauls Geburtstag	3	4
5 Stefan	6 Stefan	7 Stefan	8 Stefan	9 Stefan	10 Hochzeit →Stefan	11 Party
12 die Schweiz	13 die Schweiz	14 die schweiz	15 die Schweiz	16 die Schweiz	17 die schweiz	18 die schweiz
19	20	21	22 Filmabend	23	24	25
26	27	28	29	30 Theater	31	

1. ... 2. ... 3. ... 4. ... 5. ... 6. ...

D. Daten. *Give a personal response to each sentence, correcting the information as necessary.*

BEISPIEL: Ihr Geburtstag ist am 8. Mai, nicht?
Nein, mein Geburtstag ist am 2. November.

Fragen: ...

B Dialog

Maria, Nicole und Anne sind Schülerinnen an einem Gymnasium in Berlin, früher Ost-Berlin. Sie beantworten die Frage ihres Lehrers über Pläne nach dem Abitur.

. . .

Was fehlt? *Listen again to the dialogue you have just heard. Write the missing words.*

MARIA: Wenn ich bei dem MBB _____, will ich als Fluggerätebauerin

_____ und nebenbei Maschinenbau studieren. So kann ich Geld

_____ und mit dem Studium _____.

NICOLE: Ich will _____ mit dem Studium anfangen, Anglistik und Germanistik

in _____.

ANNE: Ich möchte _____ sein und einen Job finden, aber nicht erst

_____ auf die Uni gehen. Vielleicht kann ich bei einer Bank oder im

_____ Dienst arbeiten.

Zum Hören und Sprechen

A. Was muß Ihr Freund tun? *Tell your friend what to do, using each suggested cue.*

BEISPIEL: aufstehen
Steh auf!

1. ... 2. ... 3. ... 4. ... 5. ... 6. ...

B. Wann? Es ist schon passiert. *Listen to each question and respond by saying that the event has already taken place.*

BEISPIEL: Wann fängt der Film an?
Er hat schon angefangen.

1. ... 2. ... 3. ... 4. ... 5. ...

C. Robert und Karin. *Listen to the story; then answer the questions that follow.*

. . .

1. ... 2. ... 3. ... 4. ... 5. ... 6. ... 7. ...

D. Und Sie? *Give a personal answer to each question. Use a complete sentence.*

Fragen: . . .

C Dialog

Dieter Müller, 46, und seine Frau Sabine, 29, sprechen mit Dieters Eltern.

. . .

Now stop the tape and do the next exercise.

Die Stunde der Wahrheit. *React to the following statements based on the dialogue you have just heard. If you agree with the statements, say so (Das stimmt). If you disagree, give the correct information.*

1. Dieter und Sabine haben eine große Überraschung für seine Eltern.

_____

2. Dieter und Sabine erwarten einen neuen Wagen.

_____

3. Herr und Frau Müller haben noch keine Enkelkinder.

_____

4. Frau Müller findet es schön, daß sie Großmutter wird.

   _____

5. Herrn Müllers Ansicht nach ist es einfach, Kinder im Haus zu haben.

   _____

6. Dieter und Sabine haben bald einen Teenager im Haus.

   _____

7. Herr Müller hatte mit 46 Jahren seine Kinder schon großgezogen.

   _____

Zum Hören und Sprechen

Eine Journalistin besucht eine Sennerin. *Look at the drawing and listen to the following passage. Then choose the correct response to each question. First listen to a few new words you will encounter in the reading.*

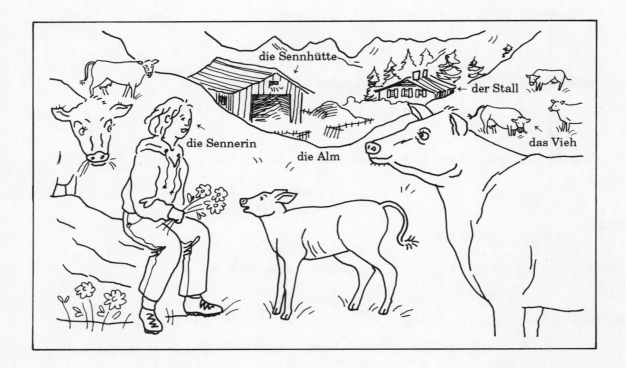

der Wasserhahn *water faucet*	füttern *to feed*	buttern *to churn butter*
das Feuer *fire*	melken *to milk*	das Gehalt *wages*
entfachen *to kindle*	säubern *to clean*	Kost und Logis *room and board*
	ausmisten *to clean out*	

JOURNALISTIN: . . .

Richtig oder falsch?

1. R   F
2. R   F
3. R   F
4. R   F

5. R   F
6. R   F
7. R   F
8. R   F

9. R   F
10. R   F
11. R   F
12. R   F

SAMMELTEXT

Listen to the first portion of the Sammeltext.

. . .

A. Wie war alles früher gewesen? *Indicate whether each statement is true or false according to the* Sammeltext.

1. R   F
2. R   F
3. R   F

4. R   F
5. R   F

6. R   F
7. R   F

Listen to the second portion of the Sammeltext.

. . .

B. Wie steht es damit in Deutschland? *Mark the correct answer to each question.*

1. a. Eine konservative Politik.
   b. Eine liberale Politik.

2. a. Seit 1990.
   b. Seit 1986.

3. a. Achtzehn Monate.
   b. Zwölf Monate.

4. a. Achtzehn Monate.
   b. Drei Jahre.

5. a. Bis zu 600 Mark monatlich.
   b. Über 600 Mark monatlich.

6. a. Meistens Arbeitslose oder Studenten.
   b. Meistens Lehrer.

7. a. 33 Prozent.
   b. 88 Prozent.

Listen now to the last portion of the Sammeltext.

. . .

C. Und die Kinder? Was meinen Sie? *Give a personal answer to each question.*

Fragen: . . .

ANWENDUNG

Ein Lebenslauf. *Look at the sample resumé and answer each question accordingly.*

Martin Muster

Blumenstraße 12
8000 München 70

Lebenslauf

Name:	Muster
Vorname(n):	Martin, Ulrich
Geburtsdatum:	14.03.1974
Geburtsort:	Augsburg
Eltern:	Max Muster, selbst. Handelsvertreter
	Maria Muster, geb. Huber, Hausfrau
Staatsangehörigkeit:	deutsch
Konfession:	evangelisch
Schulbildung:	1980 - 1984 Grundschule Augsburg
	1984 - 1986 Hauptschule Augsburg
	1986 - 1990 J.-Stein-Realschule
	München
Abschluß:	1990 Mittlere Reife
Besondere Kenntnisse und Erfahrungen:	gute Englischkenntnisse,
	Mitglied einer Jugendgruppe mit Betreu-
	ungsaufgaben;
	Mitarbeit in der Schülerzeitungsredaktion

München, den 20. Juli 1989

Martin Muster

der Abschluß *diploma or degree obtained*
die Betreuungsaufgabe, -n *responsibilities related to directing a group*
geb. = geboren *here: maiden name*
der Handelsvertreter, - *trade representative*
die Kenntnis, -se *area of knowledge*
das Mitglied, -er *member*
Mittlere Reife *roughly: high school graduation*
die Schülerzeitungsredaktion *editorial staff of the school newspaper*
selbst. = selbständig *here: self-employed*

1. ... 2. ... 3. ... 4. ... 5. ... 6. ...

Ihr Lebenslauf. *Turn off the tape recorder and write your own* Lebenslauf *on the form below. Use the sample on page 134 as a model and a source of ideas.*

WORTSCHATZ

High-School-Abschluß *high school diploma*	evangelisch *Protestant*
Bakkalaureat *bachelor's degree*	jüdisch *Jewish*
Magister *master's degree*	katholisch *Catholic*
Dr. Phil. *Ph.D.*	moslemisch *Moslem*
buddhistisch *Buddhist*	

Ihr Foto hier

LEBENSLAUF

Name:

Vorname:

Geburtsdatum:

Eltern:

Staatsangehörigkeit:

Konfession:

Schulbildung:

Abschluß:

Besondere Kenntnisse:

KAPITEL **14**

AUSSPRACHE

The Breathing Sounds

A. *Repeat each word, concentrating on the* h *sound.*

hat   hin   her   hier   heute   hungrig   Hotel   Hochzeit   hingehen   abholen

B. *Repeat each word, concentrating on the initial vowel sound.*

ab   ob   auf   im   ein   enden   aber   üben   ohne   Augen

C. *Repeat each word, concentrating on the* j *sound.*

ja   je   jetzt   jung   jeder   Januar   jemand   Japan   Jugend   Joghurt

D. *Repeat each word pair, contrasting the* h *and initial vowel sounds.*

Haare , Aare   heben, eben   Haus, aus   Hund, und

Now repeat each word pair, contrasting the h *and* j *sounds.*

Haare, Jahre   Heger, Jäger   Hacke, Jacke   Hagen, jagen

E. *Listen to each conversational exchange.*

1. Kommt er jedes Jahr hierher zurück?

   —Ja, jedenfalls hoffe ich das.

2. Herr Jäger wird heute Interviews halten.

   —Das möchte ich ja einmal erleben.

3. Kennt ihr ein altes Sprichwort?

   —Ja! Aus den Augen, aus dem Sinn.

4. Ist abends jemand hier?

   —Irgendjemand ist jeden Abend hier.

1. *Does he come back here every year?*

   —Yes, at any rate, I hope so!

2. *Mr. Jäger will conduct interviews today.*

   —For once I'd really like to experience that.

3. *Do you know an old proverb?*

   —Yes! Out of sight, out of mind.

4. *Is someone here in the evening?*

   —Someone or other is here every evening.

Now listen to the first part of each exchange again, and make the response yourself.

. . .

F. *You will hear a series of word pairs contrasting the various breathing sounds. One word from each pair will be repeated. Circle the letter preceding that word.*

1. a. aha!   b. ja!
2. a. hoffen   b. offen
3. a. Halle   b. alle
4. a. Herde   b. Erde

5. a. Hammer   b. Jammer
6. a. Hund   b. und
7. a. hoch   b. Joch
8. a. halt   b. alt

WORTGEBRAUCH

A. **Was machen diese Sportler und Sportlerinnen?** *Look at the illustrations and answer each question accordingly.*

1. ...   2. ...   3. ...   4. ...   5. ...   6. ...   7. ...

B. Wie beschreibt man diese Sportarten? *Listen to each sentence and write the missing words as you hear them. Each sentence will be read twice.*

1. Man braucht ein _____ Spielfeld, wenn man Fußball spielt.

2. Schach ist ein _____ Spiel.

3. Nur _____ Leute können Schach spielen.

4. Football ist ein _____ Sport.

5. Basketball ist ein _____ Sport.

6. Skilaufen kann ein _____ Sport sein.

7. Turnen ist ein Sport für _____, _____, _____

   Menschen.

C. Dialog. *You and your friends Bernd and Margit have a special day coming up, free from work and studies. Follow the printed dialogue as it is spoken. Read your lines with expression and conclude the dialogue according to your personal preferences.*

BERND: ...
MARGIT: ...
SIE: Ich will auch nicht zu Hause bleiben. Ich schlage vor, daß wir einen langen Spaziergang durch den Park machen oder vielleicht in den Bergen wandern. Oder vielleicht möchtet ihr mit den Rädern aufs Land fahren oder ein Segelboot mieten und auf dem See segeln.
MARGIT: ...
BERND: ...
SIE: *(Improvise!)*

D. Freizeit. *Richard will tell you what he likes to do during his leisure time. How do you spend yours?*

RICHARD: ...

GRAMMATIK

A Dialog

Auf dem Tennisplatz nach dem Spiel. Theo, ein deutscher Turnlehrer aus Frankfurt am Main, besucht seinen jüngeren Vetter, Simon, in Los Angeles. Der sportliche Deutsche möchte jeden Tag Sport treiben, weil er nicht aus der Übung kommen will.

...

Was fehlt? *You will hear sentences reviewing the content of the dialogue. Write the missing words you hear. You will hear each sentence twice.*

1. Theo und Simon sind _____.

2. Theo, _____, kommt aus Frankfurt.

3. Theo besucht seinen _____ Vetter.

4. Theo _____ Tennis als Simon.

5. Heute spielen Deutsche _____ Fußball sondern auch Tennis.

6. Tennis ist genauso populär in Deutschland _____.

7. Tennis in Deutschland ist nicht nur _____.

8. _____ wollen Tennis spielen.

Zum Hören und Sprechen

A. Wer macht was? *You will hear statements about two persons. Ask a comparative question in response to each statement.*

> BEISPIEL: Edith und Klaus gehen langsam.
> **Wer geht langsamer, Edith oder Klaus?**

1. ... 2. ... 3. ... 4. ...

B. Wer hat was? *Agree with the information given in each statement.*

> BEISPIEL: Sein Auto ist älter als ihres.
> **Ja, er hat das ältere Auto.**

1. ... 2. ... 3. ... 4. ... 5. ...

C. Ich . . . aber. . . *One-up each statement you hear.*

> BEISPIEL: Ich trinke starken Kaffee.
> **Ich trinke aber stärkeren Kaffee.**

1. ... 2. ... 3. ... 4. ... 5. ...

B Dialog

Simon und Theo fahren auf der Autobahn durch einen Vorort von Los Angeles.

. . .

Now stop the tape and do the next exercise.

Wählen Sie die richtige Ergänzung! *Choose the most accurate completion to each sentence.*

1. Simon meint, . . .

    a. in den USA hat man das größte Autobahnsystem.

    b. in Deutschland hat man die besten Autos.

    c. Straßenkreuzer fahren am schnellsten.

2. Simon hat . . .

    a. den schnellsten Wagen.

    b. den ältesten Straßenkreuzer.

    c. nicht das schnellste Auto.

3. Simon beachtet . . .

   a. den Straßenkreuzer.

   b. die Geschwindigkeitsbegrenzung.

   c. seinen Benzinverbrauch.

4. Simon will . . .

   a. die lahme Ente nicht überholen.

   b. nicht weiter Tennis spielen mit seinem Vetter.

   c. kein Auto, das Benzin schluckt.

5. Theo kann nicht verstehen, . . .

   a. warum Simon nicht langsamer fährt.

   b. warum Simon so schnell fährt.

   c. warum Simon den Straßenkreuzer nicht überholt.

Zum Hören und Sprechen

A. Welcher Mensch? *You will hear a statement about a group of people. Ask a question according to the model.*

   BEISPIEL: Die Studenten fahren langsam.
   Welcher Student fährt am langsamsten?

   1. . . .   2. . . .   3. . . .   4. . . .

B. Zwei Familien. *Look at the picture and answer each question with a complete sentence.*

1. ... 2. ... 3. ... 4. ... 5. ... 6. ... 7. ... 8. ... 9. ...

C. Geographie. *Listen to each sentence and write in the missing words as you hear them. You will hear each sentence twice.*

1. Österreich ist ein _____ Land, die Schweiz ist ein _____ Land, aber Liechtenstein ist das _____ Land.

2. Die Elbe ist ein _____ Fluß, der Rhein ist ein _____ Fluß, aber die Donau ist der _____ Fluß.

3. Das Weißhorn ist ein _____ Berg, das Täschhorn ist ein _____ Berg, aber das Matterhorn ist der _____ Berg.

4. Der Chiemsee ist ein _____ See, der Neusiedlersee ist ein _____ See, aber der Bodensee ist der _____ See.

5. Marburg ist eine _____ Stadt, Tübingen ist eine _____ Stadt, aber Göttingen ist die _____ Stadt.

6. Köln hat _____ Einwohner (*inhabitants*), München hat _____ Einwohner, aber Hamburg hat die _____ Einwohner.

C Dialog

Theo hat ein deutsches Fußballspiel auf Videokassette. Seine Eltern haben es ihm geschickt, weil sie wissen, was für ein Fußballnarr ihr Sohn ist.

. . .

Now stop the tape and do the next exercise.

Was ist passiert? *Stop the tape and answer each question, according to the dialogue.*

1. Was hat Theo bekommen?

   _____

   _____

2. Wer hat Theo etwas geschickt?

   _____

   _____

3. Warum hat man ihm so etwas geschickt?

   _____

   _____

4. Wie reagiert Theo auf das Spiel, das er sieht?

   _____

   _____

5. Wie endet das Spiel? Wer gewinnt?

   _____

   _____

6. Wann und wo ist das nächste Spiel?

   _____

   _____

7. Wo möchte Simon so ein spannendes Spiel auch erleben?

   _____

   _____

Zum Hören und Sprechen

A. Ein Wochenende in Österreich. *Listen to the following passage and then respond to true/false questions about it.*

. . .

1. R   F   3. R   F   5. R   F

2. R   F   4. R   F   6. R   F

B. Wie organisieren Sie Ihre Freizeit? *Give a personal answer to each question. The printed words and phrases will help.*

abends	jeden Tag	nie
morgens	jedes Wochenende	nur selten
samstags	im Sommer	das ganze Jahr
Freitag abends	an diesem Mittwoch	im August
Dienstag nachmittags	am kommenden Montag	nächsten Monat

1. . . .   2. . . .   3. . . .   4. . . .   5. . . .   6. . . .   7. . . .

SAMMELTEXT

Listen to the first portion of the Sammeltext.

. . .

A. Wofür hat Theo Interesse? *You will hear sentences based on the part of the* Sammeltext *that you have just heard. You will hear each one twice. Write in the missing words as you hear them.*

1. _____ lang geht Theo fast _____

   ins Fußballstadion.

2. Er hat Fußball _____.

3. _____ wie Tennis und Volleyball

   interessieren ihn auch.

4. _____ interessieren ihn nicht.

5. Fußball ist _____ in Deutschland.

6. Theo findet amerikanischen Football _____ als deutschen Fußball.

7. Theos Vetter meint, man findet immer das Spiel _____, das man

   selbst als Kind gespielt hat, weil man dieses Spiel _____ kennt.

B. Antworten Sie auf Theos Fragen! *Theo asks about your interest in sports. Give a personal answer to each question.*

THEO: . . .

Listen now to the rest of the Sammeltext.

. . .

C. Sportvereine. *Indicate whether each statement is true or false.*

1. R F   3. R F

2. R F   4. R F

D. Sport im ehemaligen Ost- und Westdeutschland. *Determine whether each statement better describes conditions in former East Germany (DDR) or former West Germany (BRD), and circle the correct answer.*

1. DDR   BRD   5. DDR   BRD

2. DDR   BRD   6. DDR   BRD

3. DDR   BRD   7. DDR   BRD

4. DDR   BRD   8. DDR   BRD

ANWENDUNG

Gruppe Süd und Gruppe Nord der zweiten Bundesliga. *Look at the soccer schedule and answer the questions accordingly.*

2. Bundesliga

GRUPPE SÜD

4. Spieltag: Erfurt - Mainz (heute, 18.30 Uhr), Homburg - Freiburg, Darmstadt - Jena (beide heute, 20 Uhr), Halle - Leipzig (morgen, 19.30 Uhr), Chemnitz - Saarbrücken, München - Mannheim (beide morgen, 20 Uhr)

		S	To	Pk
1.	Homburg	3	4:0	5:1
2.	Mannheim	3	6:3	4:2
3.	Freiburg	3	6:4	4:2
4.	Saarbrücken	3	4:3	4:2
5.	Chemnitz	3	2:1	4:2
6.	Mainz	3	2:2	3:3
7.	Halle	3	6:7	3:3
8.	Jena	3	2:3	3:3
9.	München	3	2:3	2:4
10.	Leipzig	3	0:1	2:4
11.	Erfurt	3	4:6	1:5
12.	Darmstadt	3	3:8	1:5

GRUPPE NORD

4. Spieltag: St. Pauli - BW 90 Berlin, Braunschweig - Köln (beide heute, 20 Uhr), Brandenburg - Oldenburg (morgen, 18.15 Uhr), Meppen - Osnabrück (morgen, 19 Uhr), Hertha - Uerdingen, Hannover - Remscheid (beide morgen, 20 Uhr)

		S	To	Pk
1.	Meppen	3	5:0	6:0
2.	St. Pauli	3	5:2	5:1
3.	Blau-Weiß 90	3	6:3	4:2
4.	Hannover	3	4:3	4:2
5.	Hertha BSC	3	3:2	4:2
6.	Oldenbrg	3	3:3	3:3
7.	Remscheid	3	6:7	3:3
8.	Braunschweig	3	4:5	3:3
9.	Köln	3	2:3	2:4
10.	Osnabrück	3	3:5	1:5
11.	Uerdingen	3	2:6	1:5
12.	Brandenburg	3	3:7	0:6

Gruppe Süd: 1. . . .   2. . . .   3. . . . 4. . . .
Gruppe Nord: 5. . . .   6. . . .   7. . . .   8. . . .
Gruppe Süd: 9. . . .   10. . . .
Gruppe Nord: 11. . . .   12. . . .

KAPITEL **15**

AUSSPRACHE

The *f* and *v* Sounds

A. *Repeat each word, concentrating on the f sound.*

> Fall Film viel von oft treffen kaufen Vogel Fenster relativ

B. *Repeat each word, concentrating on the v sound.*

> was wann weil wie Winter wegen während Vase Vagabund Variation

C. *Repeat each word pair, contrasting the f and v sounds.*

> fein, Wein vier, wir Volke, Wolke finde, Winde fehlen, wählen volle, wolle

D. *Listen to each conversational exchange.*

1. Wo feiert man das Oktoberfest?

   —Dieses Fest feiert man vor allem auf einer Wiese in München.

2. Wie haben Sie den Film gefunden?

   —Ich fand ihn relativ langweilig.

3. Von wo aus habt ihr denn photographiert?

   —Wir haben vom Fenster aus photographiert.

4. Was für Bücher lesen deine Freunde?

   —Verschiedene, aber vorwiegend Philosophie.

1. *Where do they celebrate the Oktoberfest?*

   —This festival is primarily celebrated on a meadow in Munich.

2. *How did you like the film?*

   —I found it relatively boring.

3. *Where did you take pictures from, anyway?*

   —We photographed from the window.

4. *What sort of books do your friends read?*

   —Different kinds, but primarily philosophy.

Now listen to the first part of each exchange again, and make the response yourself.

. . .

E. *You will hear a series of word pairs, one having the f sound and the other the v sound. One word from each pair will be repeated. Circle the letter preceding that word.*

1. a. fehlen   b. wählen
2. a. Feste   b. Weste
3. a. fahl   b. Wahl
4. a. feile   b. Weile

5. a. volle   b. wolle
6. a. Faß   b. was
7. a. Volke   b. Wolke
8. a. vier   b. wir

WORTGEBRAUCH

A. Wie beschreiben Sie diese Menschen? *Assume that you are helping a police artist make a sketch of a man and a woman suspected of a crime. Answer each question according to the printed cues.*

1. Nein, . . . kurze, dicke . . .
2. Nein, . . . blaue . . .
3. Nein, . . . kleine . . .
4. Nein, . . . langes . . .

5. Nein, . . . kurze, braune . . .
6. Nein, . . . große, grüne . . .
7. Nein, . . . kleinen . . .
8. Nein, . . . schöne, weiße . . .

B. Was tut Ihnen weh? *Assume that you're being examined by a doctor. She will ask you what hurts. Give personal answers to her questions.*

BEISPIEL: Tut Ihnen der Kopf weh?
            Ja, der Kopf tut mir weh.
Oder: Nein, der Kopf tut mir nicht weh.

ÄRZTIN: . . .

C. Was studieren diese Studenten? Was werden sie sein? *Look at the cues as they are read. Then tell what each student is studying and what he or she will be one day.*

BEISPIEL: Alexander, Chemie, Chemiker
            Alexander studiert Chemie. Eines Tages wird er Chemiker sein.

1. Kurt, Zoologie, Zoologe
2. Renate, Anthropologie, Anthropologin

3. Christine, Physik, Physikerin
4. Heinrich, Philosophie, Philosoph

D. Ein Gespräch mit Fritz. *Assume that you've become acquainted with Fritz, a German exchange student at your university. He invites you to meet some of the other German students. Give personal answers to his questions.*

FRITZ: . . .

GRAMMATIK

A Dialog

Bloomington, Indiana, USA. Renate, eine deutsche Studentin, geht fast jeden Tag in die Mensa. Dort trifft sie sich um vier Uhr nachmittags mit ihren deutschen Bekannten, und sie trinken einen Kaffee. Renate sitzt jetzt an einem Tisch in der Mensa; Ingrid kommt.

      . . .

Was fehlt? *Listen again to the dialogue. Write the missing words as you hear them.*

RENATE: _____! Was gibt's? _____ du

_____ nicht gut?

INGRID: Doch. Ich _____ nur über meine Kurse. Hier muß man

immer pauken.

RENATE: Ja, ich weiß. Ich kann _____ auch nicht recht daran _____.

INGRID: Ich habe nicht viel Zeit. Ich muß _____. Morgen gibt's

wieder eine Prüfung.

Zum Hören und Sprechen

A. Studenten und Studentinnen. *Answer each question according to the printed cue.*

BEISPIEL: Wofür interessiert sich Paula?
(für Politik) Sie interessiert sich für Politik.

1. über das Wetter   4. wir

2. auf die Party   5. ich

3. in der Mensa

B. Wie war die Frage, bitte? *Listen carefully to each statement; then choose the question that would elicit the statement as a response.*

1. a. Was ärgert die Studenten?   4. a. Woran erinnert sich Matthias?

   b. Worüber ärgern sich die Studenten?   b. Woran erinnert der Professor Matthias?

2. a. Was interessiert dich nicht?   5. a. Was wundert Liesl?

   b. Wofür interessierst du dich nicht?   b. Worüber wundert sich Liesl?

3. a. Was freut euch?   6. a. Wen versteht Helga?

   b. Worauf freut ihr euch?   b. Mit wem versteht sich Helga?

C. Bitte, nicht! *You will hear a statement. Using the Sie-form, tell the speaker not to act or feel that way.*

BEISPIEL: Ich ärgere mich darüber.
Ärgern Sie sich nicht darüber!

1. ...   2. ...   3. ...   4. ...

B Dialog

Es ist Freitagabend, und Renate sitzt allein in ihrem Zimmer im Studentenheim. Debbie klopft an die Tür und geht dann hinein. Sie unterhalten sich.

...

Was fehlt? *Listen to sentences based on the dialogue you have just heard. Write the missing words as you hear them.*

1. _____ sitzt Renate allein in ihrem Zimmer.

2. Ihre Freundin, Debbie, _____ an _____ Tür.

3. Die zwei Studentinnen _____ über Pläne für den

   Abend.

4. Debbie _____, daß ihre Freundin _____ Studentenheim bleibt.

5. Debbie denkt: Renate _____ aber besonders _____

   Filme.

6. Debbie fragt, „Warum _____ nicht mal einen Spielplan?"

7. Renate antwortet, „Filmabende kann _____ jetzt nicht mehr

   _____."

8. Debbie sagt, „Du mußt _____ aber manchmal richtig _____!"

Zum Hören und Sprechen

A. Was hat Konrad schon gemacht? *Listen to what Konrad has to say. Then circle the appropriate ending to each sentence you hear.*

KONRAD: . . .

1. a. Mittwoch.
   b. Montag.

2. a. zwölf Uhr.
   b. elf Uhr.

3. a. um acht Uhr aufgestanden.
   b. um halb acht aufgestanden.

4. a. sich die Zähne geputzt.
   b. sich die Hände gewaschen.

5. a. sich die Haare gekämmt.
   b. sich eine Tasse Kaffee geholt.

6. a. die Uni verlassen.
   b. sein Zimmer verlassen.

7. a. eine Tasse Tee und ein Brötchen
      gekauft.
   b. eine Tasse Kaffee und zwei Brötchen
      gekauft.

8. a. Freunde getroffen.
   b. seine Freundin getroffen.

B. Was macht die Familie heute morgen? *Look at the pictures and answer each question accordingly.*

1. ...   2. ...   3. ...   4. ...   5. ...

C. Interview. *One of your friends will ask you a few questions. Give a personal answer to each.*

DER FREUND: ...

C Dialog

Bill spricht mit Renate über das deutsche Universitätssystem, denn er möchte im nächsten Semester an einer deutschen Universität studieren.

...

Now stop the tape and do the next exercise.

Sagen Sie es bitte anders! *Write a paraphrase of each sentence by choosing from the list a synonym for each underlined expression and writing the synonym in its correct form in the blank provided.*

attraktiver	leichter	schöner
für sich	lernen	tagaus, tagein
die ganze Zeit	lieber	Tag für Tag
immer	das Material	Tests
interessanter	pauken	zusammenkommen
die Kurse		

1. Deutsche Studenten müssen auch viel <u>arbeiten</u>.

   Deutsche Studenten müssen auch viel _____.

2. Sie arbeiten aber nicht so <u>regelmäßig</u> wie amerikanische Studenten.

   Sie arbeiten aber nicht so _____ wie amerikanische Studenten.

3. Man <u>trifft</u> <u>sich</u> für viele Seminare nur einmal in der Woche.

   Man _____ für viele Seminare nur einmal in der Woche

   _____.

4. Man muß sich nicht <u>ständig</u> auf <u>Prüfungen</u> vorbereiten.

   Man muß sich nicht _____ auf _____ vorbereiten.

5. Prüfungen helfen mir aber, <u>den Stoff</u> zu wiederholen.

   Prüfungen helfen mir aber, _____ zu wiederholen.

6. Man läßt deutsche Studenten viel mehr <u>selbständig</u> arbeiten.

   Man läßt deutsche Studenten viel mehr _____ arbeiten.

7. Mir ist das langsamere Tempo in Deutschland <u>angenehmer</u>.

   Mir ist das langsamere Tempo in Deutschland _____.

Zum Hören und Sprechen

A. Warum? *Circle the more logical answer to each question.*

1. a. Um seine Arbeit zu schreiben.
   b. Um seinen Freund zu treffen.

2. a. Um ein neues Buch zu kaufen.
   b. Um ein Buch zu finden.

3. a. Um fernzusehen.
   b. Um Geld zu verdienen.

4. a. Um einkaufen zu gehen.
   b. Um sich zu entspannen.

5. a. Um Aspirin zu kaufen.
   b. Um sich eine Cola zu kaufen.

6. a. Um mit den Deutschen zu sprechen.
   b. Um nach Europa zu fahren.

B. Was finden die Studenten und Studentinnen schwer? *You will hear each sentence twice. Write the missing words as you hear them.*

1. Erika findet es schwer, _____

2. Claudia findet es schwer, _____

3. Alex findet es schwer, _____

4. Beate und Ute finden es schwer, _____

5. Christian findet es schwer, _____

_____

6. Sofie findet es schwer, _____

_____

C. Und Sie? *Give a personal answer to each question. Use the cues for ideas.*

BEISPIEL: Was finden Sie schön?
andere Leute kennenzulernen →
Ich finde es schön, andere Leute kennenzulernen.

einen langen Spaziergang zu machen   Deutsch zu sprechen

meine Freunde anzurufen   lange Briefe zu schreiben

andere Leute kennenzulernen   früh aufzustehen

Samstag abends auszugehen   ____?____

mit meinen Freunden zusammen zu sein

Fragen: . . .

D. Liebe und Glück. *Write the missing phrases as you hear them; you will hear each one twice.*

Liebe ist, jemandem . . .

1. _____
2. _____
3. _____
4. _____

Glück (*here: good fortune, happiness*) ist, . . .

1. _____
2. _____
3. _____
4. _____

Now stop the tape and complete the sentences with two phrases of your own.

1. Liebe ist, _____
2. Glück ist, _____

SAMMELTEXT

Listen as Renate reads the first part of her letter.

. . .

RENATE: . . .

A. Was wissen Sie von Renate? *Indicate whether each statement is true or false.*

1. R   F   4. R   F   7. R   F

2. R   F   5. R   F   8. R   F

3. R   F   6. R   F   9. R   F

Now listen to the rest of Renate's letter.

RENATE: . . .

B. Und an Ihrer Universität? *Give a personal answer to each question.*

Fragen: . . .

ANWENDUNG

Studienplatztausch. *Look at the following ad and answer each question with a complete sentence.*

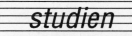

◆ Suche Studienplatz Medizin
  Berlin oder Hamburg, biete
  Studienplatz Medizin Marburg.
  Dagmar.
  ☎ 05672/3412

1. . . . 2. . . . 3. . . . 4. . . . 5. . . . 6. . . . 7. . . .

Now stop the tape and do the next exercise.

Write a paragraph about Dagmar, using the information in the ad that you just confirmed with the speaker. In addition, make up answers to the following questions to include in your paragraph.

Warum will Dagmar in Berlin oder Hamburg statt in Marburg studieren? (Was für eine Stadt ist
    Berlin? Hamburg? Marburg?)
Wofür interessiert sie sich?
Will sie Ärztin oder Forscherin (*researcher*) werden? Warum?
Wo will sie schließlich (*eventually*) ihren Beruf ausüben? Warum?

Arrange all the information in whatever order makes sense to you. Read your paragraph aloud to yourself as many times as necessary to check for coherence and flow.

_____

_____

_____

_____

_____

_____

_____

_____

_____

KAPITEL 16

AUSSPRACHE

The *p* and *b* Sounds

A. *Repeat each word, concentrating on the* p *sound.*

Post Paß Punkt ab gib ob Papier Pause Lippe Äbte

B. *Repeat each word, concentrating on the* b *sound.*

bist Baum Bett Buch Besser böse Basis aber schreiben dabei

C. *Repeat each word pair, contrasting the* p *and* b *sounds.*

Paß, Baß   Poren, bohren
packen, backen   putzen, Butzen
Paar, Bar   Gepäck, Gebäck
Pole, Bowle

D. *Listen to each conversational exchange.*

1. Aber habt ihr dort am Abend Platz
gefunden?
—Ja sicher, da oben gab's viel Platz.

1. *But did you find room there in the evening?*
—Yeah, sure, upstairs there was plenty of
room.

2. Was braucht dieser Schüler für seine
Hausaufgaben?
—Für die Hausaufgaben braucht er seine
Lehrbücher und liniertes Schreibpapier.

2. *What does this pupil need for his assignments?*

—For homework he needs his textbooks and
lined writing paper.

3. Welche Personen haben das
Doppelzimmer mit Bad bestellt?
—Das junge Ehepaar hat das
Doppelzimmer bestellt.

3. *Which people ordered the double room with*
bath?
—The young married couple reserved the
double room.

4. Bist du darüber besonders böse?
—Ich hätte eigentlich keinen Grund,
darüber böse zu sein.

4. *Are you really mad about it?*
—I wouldn't really have any reason to be mad
about it.

Now listen to the first part of each exchange again, and make the responses yourself.

. . .

E. *You will hear a series of word pairs, one word having the p sound and the other the b sound. One word from each pair will be repeated. Circle the letter preceding that word.*

1. a. Paar   b. Bar
2. a. Paß   b. Baß
3. a. Pein   b. Bein
4. a. Pole   b. Bowle

5. a. Paare   b. Bahre
6. a. putzen   b. Butzen
7. a. Gepäck   b. Gebäck
8. a. Pier   b. Bier

WORTGEBRAUCH

A. **Nomen und Verben.** *Say the verb that corresponds to each noun you hear.*

BEISPIEL: die Bemerkung → bemerken

1. . . .   2. . . .   3. . . .   4. . . .   5. . . .   6. . . .   7. . . .

B. **Fragen, die man stellt, wenn man an die neuen Bundesländer denkt.** *You will hear each question twice. Write the missing words as you hear them.*

1. Wovon _____ die ehemaligen Ostdeutschen?

2. Worauf _____ sie?

3. Was _____ sie zu tun?

4. Wann _____ sie von der Öffnung der Mauer?

5. _____ die Revolution das Leben im Osten

    _____ ?

6. _____ sie auch manches _____ ?

C. **Gegenteile.** *Write the number of the adjective you hear in front of the adjective with the opposite meaning.*

_____ nächtlich

_____ allmählich (*gradually*)

_____ heutig

_____ spezifisch

_____ modern

_____ luxuriös

Und Sie? *Give a personal answer to each question.*

Fragen: . . .

GRAMMATIK

A Hörtext

. . .

Schreiben Sie es richtig! *You will hear sentences based on the text you have just heard. Complete the sentences by filling in the missing words.*

1. So _____ war sie, die Revolution—und _____?

2. Beim _____ hatte man von der _____ der

   _____ erfahren.

3. _____ stand man auf der Straße.

4. Man _____ es _____ im Westen _____.

5. Man war sofort im Westen, als ob man _____.

6. Eine _____ sich gut an die historische Nacht.

7. Drei Monate später hat sie sich an die _____ Mauer _____.

8. Wenn sie in westliche _____,

   _____ sie den Anblick der Ware nicht ertragen.

Zum Hören und Sprechen

Wenn nur . . . *Listen to each wish; then mark the printed statement that more accurately explains the situation.*

1. a. Sofie hat keinen Job und braucht Geld.

   b. Sofie hat einen Job, aber sie will mehr Geld dabei verdienen.

2. a. Josef hat kein Auto, weil er sich eines nicht leisten kann.

   b. Josef hat ein Auto, aber er wünscht, daß er sich ein neues leisten könnte.

3. a. Mariannes Familie braucht eine Wohnung.

   b. Mariannes Familie hat eine Wohnung, aber sie ist zu klein.

4. a. Carsten geht nie ins Theater, weil er sich eine Theaterkarte gar nicht leisten kann.

   b. Carsten will öfter ins Theater gehen, aber er hat zu wenig Zeit und Geld dafür.

5. a. Karins Freund ruft sie nie an.

   b. Karin will mit ihrem Freund sprechen und hofft, daß er sie anrufen wird.

6. a. Herbert will seine Freundin heiraten, aber sie will das nicht.

   b. Herberts Freundin will ihn heiraten, aber Herbert will das noch nicht.

B Hörtext

. . .

Now stop the tape and do the following exercise.

Wie war das? *Assume that you are having lunch with a friend. You have just read the SCALA article to him. He hasn't heard everything you've read, and he asks you questions. Write your answers to his questions.*

1. Was hat der Computerfachmann in der Bundesrepublik gesucht?

   _____

   _____

2. Womit will dieser Mann den veralteten DDR-Betrieben helfen?

   _____

   _____

3. Was hat er von den östlichen Geräten gesagt?

   _____

   _____

4. Was ist die Arbeitsphilosophie des Computerfachmanns?

   _____

   _____

Zum Hören und Sprechen

A. Renate und Richard sind auf Urlaub in Berlin und machen Pläne. *Listen to the following dialogue. Then indicate whether each statement is true or false. First listen to three new words you will encounter.*

besichtigen *to view, look around*	die Besichtigung *sightseeing tour*	der Tagesausflug *day trip*

1. R F   5. R F

2. R F   6. R F

3. R F   7. R F

4. R F   8. R F

B. Seien Sie immer höflich! *Express each sentence in the subjunctive to make it more polite.*

   BEISPIEL: Dürfen wir mit euch sprechen?
   Dürften wir mit euch sprechen?

1. . . .   2. . . .   3. . . .   4. . . .

C. Fragen Sie nur höflich! *Rephrase each request as a polite question using* würde.

   BEISPIEL: Zeigen Sie mir bitte das Buch!
   Würden Sie mir bitte das Buch zeigen?

1. . . .   2. . . .   3. . . .   4. . . .

C Hörtext

. . .

Now stop the tape and do the next exercise.

Was ist passiert? *Answer each question according to the text you have just heard.*

1. Was hat man seit dem Fall der Mauer viele ehemalige Ostdeutsche gefragt?

   _____

   _____

2. Welche Antworten bekommt man, wenn man diese Frage stellt?

   _____

   _____

3. Was hat die Revolution zerstört?

   _____

   _____

4. Lebten die Ostdeutschen früher wirklich im Elend?

   _____

   _____

5. Was wäre für eine Potsdamer Hausfrau nicht möglich gewesen, wenn die Mauer nicht gefallen wäre?

   _____

   _____

6. Ist es gut, alles in der früheren DDR jetzt in Frage zu stellen? Was nicht, z.B.?

   _____

   _____

7. Warum ist die Welt jetzt plötzlich offener für eine Berliner Studentin?

   _____

   _____

Zum Hören und Sprechen

Magdeburg und Sachsen-Anhalt. *Listen to Anni's conversation with Gisela and Heiko, who just returned to Bremen from a trip to Magdeburg. First, listen to a few new words you will encounter.*

der Brocken   *highest peak in the Harz mountain range*
darstellen, stellte dar, hat dargestellt   *to portray*
die Klosteranlagen (pl.)   *convent facilities and grounds*
das Reiterstandbild, -er   *equestrian statue*
steigen, stieg, ist gestiegen   *to climb*
der Rundblick, -e   *panoramic view*

. . .

1. R F   3. R F   5. R F

2. R F   4. R F   6. R F

SAMMELTEXT

Listen to the first part of the Sammeltext. *It gives a brief history of Germany's division and reunification. Follow the printed chronology and jot down the dates as you hear them.*

EINE CHRONIK

_____   Der östliche Teil Deutschlands wurde ein neuer Staat, die Deutsche Demokratische Republik.

_____   Die Regierung der DDR baute die Berliner Mauer.

_____   Michail Gorbatschow kündigte seine Reformprogramme an.

_____   Ungarn öffnete die Grenze nach Österreich.

_____   Die DDR genehmigte Sonderzüge, die die ostdeutschen Flüchtlinge von Prag über die DDR in die Bundesrepublik bringen sollten.

_____   Die Regierung der DDR erklärte eine allgemeine Reisefreiheit, und wenige Stunden später stürmten tausende von Ost-Berlinern die Mauer.

_____   Die alte DDR und die alte BRD wurden wieder *ein* Land.

Warum? *Write the number of each question in front of the correct answer.*

_____   Ungarn hatte die Grenze nach Österreich geöffnet.

_____   Sie wollte die geplante 40-Jahr-Feier entschärfen.

_____   Es sah so aus, als ob die Sowjetunion bei Reformen in Ostblockländern nicht militärisch eingreifen würde.

_____   Die DDR-Regierung hatte eine allgemeine Reisefreiheit erklärt.

_____   Tausende von Ostdeutschen waren über West-Berlin in den Westen geflohen.

_____   Sie konnten dorthin ohne Visum reisen.

Städte in den neuen Bundesländern. *Listen to a condensed version of the second part of the* Sammeltext, *the description of the new German states. As you listen, use the designated space around the map to jot down notes about each city.*

. . .

DIE OSTSEE

Stralsund

Rostock

Bad Doberan

Greifswald

MECKLENBURG-

Wismar

VORPOMMERN

Schwerin

die Elbe

Neuruppin

Potsdam

Berlin

Brandenburg

Frankfurt an der Oder

BRANDENBURG

Magdeburg

SACHSEN-

Wittenberg

Halberstadt

Dessau

Cottbus

Quedlinburg

Bitterfeld

ANHALT

die Elbe

Halle

Leipzig

Merseburg

SACHSEN

Naumburg

Dresden

Erfurt

Weimar

Meißen

Gotha

Jena

Chemnitz

THÜRINGEN

Zwickau

Was für Städte sind sie? *Look at the list of cities. Those grouped together have something in common. Write the number of each word or phrase in front of the city or group of cities that it describes. All cities in the group must fit the description.*

_____ Schwerin, Potsdam, Magdeburg, Dresden, Erfurt

_____ Dessau

_____ Merseburg

_____ Wismar, Stralsund, Rostock, Greifswald, Frankfurt an der Oder

_____ Leipzig

_____ Rostock, Greifswald, Frankfurt an der Oder, Wittenberg, Leipzig

_____ Cottbus, Brandenburg, Rathenow, Magdeburg, Merseburg, Bitterfeld, Halle, Chemnitz, Zwickau

_____ Wittenberg

ANWENDUNG

Ein Ausflug von Bremen nach Potsdam. *Look at the printed ad as you listen to a commercial about the trip. Use the printed information to answer the questions that follow. First, listen to some new words you will encounter.*

fröhlich *cheerful*   die Besichtigung *sight-seeing tour, viewing*

. . .

1. . . .   2. . . .   3. . . .   4. . . .   5. . . .   6. . . .   7. . . .   8. . . .   9. . . .

Sonderzug mit Tanzwagen

Potsdam

Reise-Nr. R 13 23 027

Ein Ausflug mit einer besonderen Zuggarnitur:

„Sonderzug Deutsche Weinstraße"

Der Sonderzug besteht aus Büttenwagen, Laubenwagen,
Tanz- und Barwagen – eine große Weinwirtschaft auf
Schienen! Ideal für Ihren Behörden-, Vereins- oder Club-
ausflug, jedoch auch für unternehmungslustige Einzelrei-
sende.
Nach fröhlicher Fahrt mit der „Deutschen Weinstraße",
Ankunft in Potsdam Hauptbahnhof gegen 11.00 Uhr.
Abholung mit Bussen.
Ab ca. 11.30 Uhr Stadtrundfahrt mit Besichtigung Schloß
Cecilienhof.
14.00–15.00 Uhr Führung durch Park Sanssouci.
Anschließend zur freien Verfügung bis ca. 18.00 Uhr.
Bustransfer zum Hauptbahnhof.

Reisepreis (pro Person):
IBNR Einsteigebahnhöfe
0050 Bremen Hbf – Verden (Aller) – Nienburg (Weser) –
      Wunstorf – Hannover Hbf – Lehrte – Peine –
      Braunschweig Hbf   95 DM

Abfahrt in Bremen Hbf   ca. 6.00 Uhr
Ankunft in Potsdam Hbf   ca. 11.00 Uhr
Abfahrt in Potsdam Hbf   ca. 18.30 Uhr
Ankunft in Bremen Hbf   ca. 23.30 Uhr

Leistungen:
Fahrt im Sonderzug mit Tanzwagen, Reiseleitung, Reise-
versicherung, Bustransfer, Stadtrundfahrt, Besichtigung
Schloß Cecilienhof, Führung Park Sanssouci.

KAPITEL **17**

AUSSPRACHE

The *t* and *d* Sounds

A. *Repeat each word, concentrating on the* t *sound.*

Tag   Tee   Tisch   Land   fett   Tochter   Städte   Betten   Taten   Theater

B. *Repeat each word, concentrating on the* d *sound.*

da   denn   Dom   doch   laden   meiden   Tode   Norden   Süden   Stadion

C. *Repeat each word pair, contrasting the* t *and* d *sounds.*

Ente, Ende   Teich, Deich
tote, Tode   Latten, Laden
leiten, leiden   Weite, Weide
Rate, Rade

D. *Listen to each conversational exchange.*

1. Was ist denn das?

    —Das ist eine Landkarte von Deutschland.

2. Ist das ein Dorf, eine Stadt oder ein Land?

    —Das ist die größte Stadt Deutschlands.

3. Verstehst du die Bedeutung des Wortes?

    —Das Wort ist mir leider völlig

    unbekannt.

4. Mein Vater arbeitet unzählige Stunden in

    diesem Laden.

    —Niemand arbeitet Tag und Nacht, oder?

1. *What is that, anyway?*

    —*That's a map of Germany.*

2. *Is that a village, a city, or a country?*

    —*That is the largest city in Germany.*

3. *Do you understand the meaning of the word?*

    —*Sorry, but I don't know the word at all.*

4. *My father works countless hours in this shop.*

    —*Nobody works day and night, do they?*

Now listen to the first part of each exchange again, and make the response yourself.

    . . .

E. *You will hear a series of word pairs, one having the* t *sound and the other the* d *sound. One word from each pair will be repeated. Circle the letter preceding that word.*

1. a. Rate   b. Rade
2. a. Puter   b. Puder
3. a. Ente   b. Ende
4. a. Teich   b. Deich

5. a. leiten   b. leiden
6. a. witter   b. Widder
7. a. schaut er   b. Schauder
8. a. Latten   b. Laden

WORTGEBRAUCH

Wenn man an Österreich denkt, denkt man an die Alpen und Wintersport, an die Donau und die Weinberge, an Ruinen und Schlösser und an die Städte Innsbruck, Salzburg und Wien. Wenn man an Wien denkt, denkt man ans Theater und an die Oper, an Musik und Walzer und an herrliche Torten, wie die berühmte Sachertorte.

A. Welche Zutaten braucht man, um eine Torte zu machen? *Assume that you and your friends are going to make a torte. Your friends go over the list of ingredients and ask how much is needed. Answer each question according to the printed information.*

250 Gramm Mehl	150 Gramm Butter	1 Teelöffel Backpulver
150 Gramm Zucker	nur eine Prise Salz	4 Eßlöffel Milch
4 Eier	1 Teelöffel Vanille-Aroma	

1. ...   2. ...   3. ...   4. ...   5. ...   6. ...   7. ...   8. ...

B. Wie macht man eine Torte? *Review the instructions step by step. Rephrase each into a sentence beginning with* man.

BEISPIEL: den Ofen vorheizen →
Man heizt den Ofen vor.

1. ...   2. ...   3. ...   4. ...   5. ...

C. Eine Wanderung durch das Salzkammergut. *Assume that you are conversing with Stefan, your friend in Germany who invites you on a hiking trip. Give personal answers to his questions.*

STEFAN: ...

GRAMMATIK

A Hörtext

Sachertorte, eine Wiener Spezialität

DIE ZUTATEN

Für den Teig:

150 g* Butter	150 g Schokolade
150 g Zucker	250 g Weißmehl
1 Teelöffel Vanille-Zucker	1 ½ Teelöffel Backpulver
4 Eier	etwa 4 Eßlöffel Milch
eine Prise Salz	

Für die Glasur:

150 g Schokolade	1 Teelöffel Rum-Aroma
150 g Butter	

. . .

Was fehlt? *Listen again to selected lines from the instructions you have just heard. Write the missing words as you hear them. You will hear each line twice.*

1. Das Eigelb _____ vom Eiweiß _____.

2. Die Butter _____ mit dem Zucker schaumig _____.

3. Der Vanille-Zucker, das Eigelb und das Salz _____ zu der Masse

   _____.

4. Der Backofen _____ auf 220° C _____.

5. Die Schokolade _____ im Wasserbad erweicht und dann _____.

6. Das Backpulver _____ mit dem Mehl _____.

7. Die Masse _____, bevor die Torte

   _____.

----
*g = Gramm

Zum Hören und Sprechen

A. Höhlen in Österreich. *Listen to the passage. Then indicate whether each statement that follows is **true** or false. First listen to a few new words.*

erforschen	*to explore*	die Gegend	*region*
unterirdisch	*underground*	die Besichtigung	*viewing; sight-seeing tour*
die Höhle	*cave*	bequem	*comfortable*
sehenswürdig	*worth seeing*		

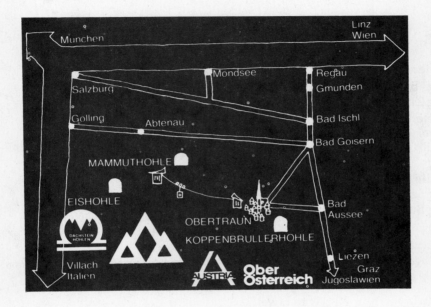

. . .

1. R   F   3. R   F

2. R   F   4. R   F

B. Die Rieseneishöhle. *Listen to the following passage; then mark the correct answer to each question. First, listen to a few new words.*

die Zinne, -n   *pinnacle*
der Turm, ⁻e   *tower*
die Kluft, ⁻e   *crevasse*
das Hochgebirge   *high mountain region*
entstehen, ist entstanden   *to come into being*
das Jungtertiär   *early tertiary period (geology)*
aufwölben, hat aufgewölbt   *to curve up*

1. ja   nein
2. ja   nein
3. ja   nein

4. ja   nein
5. ja   nein

B Dialog

Wien: in der Staatsoper. Heute abend sehen Robert und Hannelore die Oper „Der Rosenkavalier" von Richard Strauss. Der Vorhang geht auf. Auf der Bühne sind ein prächtiges Schlafzimmer im alten Stil und das Liebespaar, die Marschallin und Octavian, zu sehen.

. . .

Now stop the tape and do the following exercise.

Die Stunde der Wahrheit. *React to the following statements based on the dialogue you have just heard. If you agree with the statements, say so (Das stimmt). If you disagree, give the correct information.*

1. Robert und Hannelore besuchen heute abend die Wiener Staatsoper.

    _____

2. Sie sehen die Oper „Tannhäuser" von Richard Wagner.

    _____

3. Robert schwärmt für die Oper, die er äußerst interessant findet.

    _____

4. Robert kann bei einer Oper die Realität sehr leicht vergessen.

    _____

5. Robert weiß nie, was in der Oper passiert.

    _____

6. Robert liest den Text immer sehr genau, bevor er in die Oper geht.

    _____

7. Operntexte sind oft von berühmten Dichtern geschrieben worden.

    _____

Zum Hören und Sprechen

A. Was kann man leicht tun? Was ist leicht zu tun? *Rephrase each sentence according to the model.*

> BEISPIEL: Man kann diese Tür leicht schließen.
> Diese Tür ist leicht zu schließen.

1. ... 2. ... 3. ... 4. ... 5. ... 6. ...

B. Was macht man? *You will hear a sentence. Give the same information in a sentence with* man.

> BEISPIEL: Hier wird Deutsch gesprochen.
> Man spricht hier Deutsch.

1. ... 2. ... 3. ... 4. ... 5. ...

SAMMELTEXT

Listen to the first Sammeltext, „Gruß aus Wien".

. . .

● **Wie ist die Frage?** *You will hear a name. Find and then ask the question that the name answers. Check off each question as you use it.*

BEISPIEL: die berühmte Ringstraße
Was entstand an der Stelle der alten Festungsmauern?

_____ Wohin geht man, um die Lippizaner trainieren zu sehen?

_____ Welche zwei Gebäude werden von vielen Touristen besucht?

_____ Wer belagerte Wien im siebzehnten Jahrhundert?

_____ Wie hieß das erste Wiener Kaffeehaus?

_____ Was umgab bis zur Mitte des neunzehnten Jahrhunderts die Innenstadt?

_____ Was entstand an der Stelle der alten Festungsmauern?

_____ Welches Gebäude hat einen 137 Meter hohen Turm?

_____ Wer hat das erste Wiener Kaffeehaus gegründet?

_____ Wie heißt die zweitälteste deutschsprachige Universität?

Listen now to the second Sammeltext, „Die jüngste Vergangenheit", *and answer the true/false questions that follow.*

. . .

1. R	F	4. R	F	7. R	F		
2. R	F	5. R	F	8. R	F		
3. R	F	6. R	F				

ANWENDUNG

Drei Städte in Österreich. *You will hear a brief description of three Austrian cities. First, listen to some new words you will encounter.*

der Bau	die Vergangenheit	die Parkanlagen
einzigartig	die Lage	der Stadtkern
die Sammlung	günstig	kunstvoll
die Waffe	bevorzugen	gepflegt
das Renaissancedenkmal	entstehen lassen	die Gesellschaft
zeugen von		

. . .

Der fidele Sonntagsbummler

Fahrt in die Steiermark

Zielbahnhof: Graz   – mit Tanzwagen –

Reise-Nr. 14 4 22

Fahrtstrecke: Offenburg–Karlsruhe–München Süd–Salzburg–Bischofshofen–Selzthal–Bruck a. d. Murr.

Graz ist die zweitgrößte Stadt Österreichs. Die Bauten der Altstadt – Dom, Landeszeughaus mit einer einzigartigen Sammlung alter Waffen, „Gemaltes Haus" und weitere Renaissancedenkmäler zeugen von der großen Vergangenheit der alten Hauptstadt der Steiermark.

Theaterfahrt

Festspiele in der Mozartstadt

Zielbahnhof: Salzburg

Reise-Nr. 14 2 18

Schon die Natur hat Salzburg durch die schöne Lage und das günstige Klima bevorzugt. Festung, Dom, Residenzen, Palais, Brunnen und Plätze ließen ein zweites Rom entstehen. Aus Schlössern, Bürgerhäusern, Gärten und Parkanlagen bestand der barocke Stadtkern, er steht heute noch wie vor Jahrhunderten, kunstvoll und gepflegt.

Theaterfahrt

Wien

Zielbahnhof: Wien Westbf

Reise-Nr. 14 2 22

Wien ist Walzerstadt, die traditionelle Kaisermetropole. Wien, das ist die Stadt des Opernballs, eine alte Kulturstadt und eine moderne, pulsierende Stadt mit einer großen internationalen Gesellschaft. In keiner anderen Stadt lebten so viele Komponisten: Haydn, Mozart, Beethoven, Schubert, Gluck, Brahms, Hugo Wolf, Bruckner, Mahler und der Walzerkönig Johann Strauß.

der Bau, *pl.* die Bauten *structure*
einzigartig *unique*
die Sammlung, -en *collection*
die Waffe, -n *weapon*
das Renaissancedenkmal, -er
    monument from the Renaissance
zeugen (von) *to give evidence (of)*
die Vergangenheit *past*

die Lage *location*
günstig *favorable*
bevorzugen, hat bevorzugt *to favor*
entstehen lassen, ließ entstehen *to allow*
    to emerge, come into being
der Stadtkern *nucleus of the city*
kunstvoll *artistic*
gepflegt *cultivated*

die Gesellschaft *society*

You will hear a number of phrases. Write the number of each phrase after the name of the city it describes.

Graz: _____

Salzburg: _____

Wien: _____

KAPITEL **18**

AUSSPRACHE

The *k* and *g* Sounds

A. *Repeat each word, concentrating on the k sound.*

Kind   sechs   lag   Weg   Dock   kaufen   Bäcker   Respekt   Café   sickern

B. *Repeat each word, concentrating on the g sound.*

ganz   gut   Geld   Gott   Gäste   gegen   Jugend   ärgern   liegen   Auge

C. *Repeat each word pair, contrasting the k and g sounds.*

Kasse, Gasse   können, gönnen
Karten, Garten   kälter, Gelder
Kästen, Gästen   Lüge, Lücke
Ecke, Egge

D. *Listen to each conversational exchange.*

1. Wie wäre es jetzt mit Kaffee und Kuchen?

    —Schön, an der Ecke gibt's ein gutes Café.

2. Im Grunde genommen trinke ich lieber

    Sekt.

    —Na gut, du gehörst ja sowieso in die

    guten Kreise.

3. Diese Theaterkarte hat aber genug Geld

    gekostet, nicht?

    —Vielleicht ist es billiger, ins Kino zu

    gehen.

4. Gott sei Dank hat die Polizistin ein Auge

    zugedrückt!

    —Das nächste Mal parkst du lieber nicht

    im Parkverbot.

1. *How about some coffee and cake now?*

    —Fine, there's a good café on the corner.

2. *Basically I prefer to drink champagne.*

    —Well, OK, you belong in the good social

    circles anyway.

3. *This theater ticket sure cost enough money,*

    didn't it?

    —Maybe it's cheaper to go to a movie.

4. *Thank God, the policewoman let me get away*

    with it!

    —Next time you'd better not park in a "no

    parking" zone.

Now listen to the first part of each exchange again, and make the response yourself.

. . .

E. *You will hear a series of word pairs, one having the k sound and the other the g sound. One word from each pair will be repeated. Circle the letter preceding that word.*

1. a. Ecke b. Egge

2. a. Kasse b. Gasse

3. a. Lack b. lag

4. a. Kabel b. Gabel

5. a. klauben b. glauben

6. a. Lüge b. Lücke

7. a. können b. gönnen

8. a. Karten b. Garten

WORTGEBRAUCH

A. Schweizer Käse. *Assume that you and a friend are staying in a Swiss village and you want to see how cheese is made. The innkeeper directs you to the cowherd's huts.*

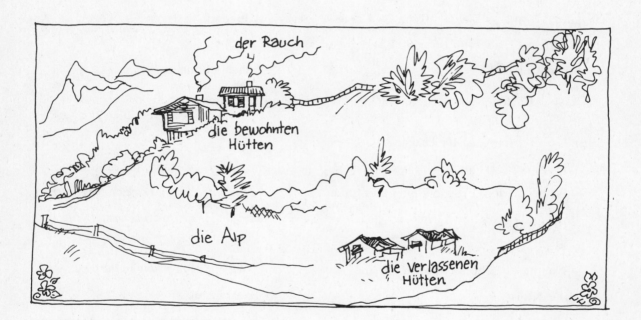

der Rauch

die bewohnten Hütten

die Alp

die verlassenen Hütten

DER WIRT: . . .

Your friend questions the directions. Find the statement that answers each question and write the number of the question before it.

_____ Wir gehen an diesen Hütten vorbei.

_____ Man braucht ein Feuer, um Käse zu machen.

_____ Wir sehen mehrere verlassenen Hütten.

_____ Wir gehen auf die Alp.

_____ Wir erkennen sie an dem Rauch.

B. Berühmte Schweizer. *You will hear a series of questions about famous Swiss persons. Select the answer to each, and write the number of the question before it.*

_____ Er war ein berühmter Philosoph, der aus Genf stammte.

_____ Er schrieb viele Romane, die man auch auf englisch lesen kann.

_____ Er war ein berühmter moderner Künstler.

_____ Er ist ein Dramatiker, der besonders für seinen „Besuch der alten Dame" bekannt ist.

_____ Er war Theologe. Er kämpfte gegen den römischen Papst und traf sich mit Luther in Marburg.

_____ Er war Psychologe und Autor.

C. Was wissen Sie von der Wilhelm-Tell-Legende? *Assume that your Swiss friend Maria asks you a few questions. Give a personal answer to each.*

MARIA: . . .

GRAMMATIK

Dialog

Viktor und Niklaus, zwei Schüler aus Zürich, verbringen ihre Ferien in Adelboden im Berner Oberland. Sie wollen einen Ausflug auf die Alp machen. Viktor fragt den Hotelwirt, was es auf der Alp zu sehen gebe. Der Wirt schlägt vor, er solle eine Sennhütte besuchen, wo Käse gemacht wird.

. . .

Now stop the tape and do the following exercise.

Was wurde gefragt und gesagt? *Rewrite the following statements and questions drawn from the dialogue as indirect discourse using Subjunctive I.*

1. Viktor fragte den Wirt: „Was gibt es auf der Alp zu sehen?"

   _____

   _____

2. Der Wirt sagte ihm: „Sie sollen eine Sennhütte besuchen."

   _____

   _____

3. Niklaus fragte Viktor: „Wie wissen wir, in welchen Hütten Käse gemacht wird?"

   _____

   _____

4. Viktor antwortete ihm: „Man kann das an dem Rauch erkennen."

   _____

   _____

5. Er erklärte Niklaus: „Zur Käsezubereitung braucht man ein Feuer."

_____

_____

Zum Hören und Sprechen

A. Was sagte man? *Listen to each sentence and circle D if it is a direct quote, I if it is an indirect quote.*

1. I   D   4. I   D   7. I   D

2. I   D   5. I   D   8. I   D

3. I   D   6. I   D

B. Eine Demonstration. *Listen to the fictitious news report; then indicate whether each statement is true or false. First, listen to some new words you will encounter.*

heftig *violently*   der Augenzeuge, -n   berichten *to report*
                            eyewitness

. . .

1. R   F   4. R   F

2. R   F   5. R   F

3. R   F   6. R   F

SAMMELTEXT

WILHELM TELL

Wilhelm Tell ist der Nationalheld der Schweiz, Symbol einer Freiheitsbewegung, die im 14. Jahrhundert die Schweiz von den Habsburgern befreit hat.

Viktor und Niklaus lesen „Wilhelm Tell" von Friedrich Schiller und „Wilhelm Tell für die Schule" von dem Schweizer Autor Max Frisch. Die zwei Autoren haben völlig verschiedene Theorien über die Legende.

Listen to Schiller's version of the legend.

. . .

A. War es wirklich so? *Listen to each statement, and indicate whether it is in the indicative (I = Indikativ) or the subjunctive (K = Konjunktiv) mood.*

1. I   K   4. I   K   7. I   K

2. I   K   5. I   K   8. I   K

3. I   K   6. I   K

Now listen to Frisch's version of the Tell legend.

. . .

Name _____ Datum _____ Klasse _____

B. Was meint Frisch über Tells Geschichte? *Indicate which statements are true and which are false according to the Frisch version of the legend.*

1. R   F   4. R   F   7. R   F

2. R   F   5. R   F   8. R   F

3. R   F   6. R   F

ANWENDUNG

A. Ein Spiel im Theater am Neumarkt. *Look at the ad and give a brief answer to each question.*

1. ...   2. ...   3. ...   4. ...

B. Wer ist Max Frisch? *Listen to the biographical information about Max Frisch and jot down notes in the chart as you do so. First, listen to some new words you will encounter.*

der Schriftsteller, -   *writer*   der Tagebuchbericht, -e   *diary entry*
der Roman, -e   *novel*

Geburtsdatum/Geburtsort:	
Studium: wo? was?	
Arbeit: als was? wie lange?	
Reisen: wohin? wann?	
Werke:	

Answers

ZUR DEUTSCHEN SPRACHE UND LANDESKUNDE

Seite 1: C. 1. Hund   2. Fisch   3. Hamster   4. Insekt   5. Tiger   6. Wolf

Seite 1: D. 1. <u>Mon</u>tag   <u>Frei</u>tag   <u>Sonn</u>tag   2. <u>Ja</u>nuar   <u>A</u>pril   Ok<u>to</u>ber   3. <u>sie</u>ben   <u>hun</u>dert   <u>tau</u>send
4. <u>Gold</u>fisch   In<u>sekt</u>   <u>Wie</u>sel

Seite 1: E.   1. Entschuldigung!   Wie spät ist es?   Sieben Uhr.

              2. Wie, bitte?   Ist es schon sieben?   Ist der Bus schon weg?

Seite 5: D. 1. <u>Auf</u> Wiedersehen!   2. <u>Verzeihung</u>!   3. <u>Bitte</u>.   4. <u>Danke</u>.   5. Gute <u>Nacht</u>!

Seite 6: E. Postleitzahl für Aschaffenburg: <u>8750</u>; Telefonnummer für Garmisch-Partenkirchen:
<u>0 88 21 / 5 09 35</u>; Postleitzahl für Ludwigstadt: <u>8642</u>; Telefonnummer für Staffelstein: <u>0 95 73 / 2 66</u>;
Postleitzahl für Tübingen: <u>7400</u>; Telefonnummer für Weikersheim: <u>0 79 34 / 3 15</u>

Seite 7: F. 1. 66 km   2. 23°   3. Stadtbus 41   4. Wilhelmstraße 517   5. 110 DM   6. 25%

Seite 8: C. 1. 9.00   2. 7.55   3. 10.10   4. 12.15   5. 6.30   6. 3.35

Seite 9: D. 9.48 Freiburg   10.54 Karlsruhe   12.17 Frankfurt   13.20 Fulda   15.39 Hannover
16.45 Bremen

KAPITEL 1

Seite 14: C. Paul und Max <u>wohnen</u> in Göttingen.   Paul <u>ist</u> Student, und Max ist <u>Kellner</u>.   Sie sind
Freunde.   <u>Sonntags</u> spielen sie Tennis, und Dienstag abends spielen sie <u>Karten</u>.   Morgen reisen sie <u>nach</u>
<u>Hamburg</u>.

Seite 15: Was fehlt? 1. Dieter sagt, „<u>Entschuldigung</u>."   2. Hans <u>ist</u> schon da.   3. Hans <u>kommt</u> aus
Köln.   4. Dieter, Hans und Susi <u>studieren</u>.   5. Hans studiert <u>Musik</u> und Literatur.   6. Hans, Dieter und
Susi gehen heute <u>abend</u> alle zusammen.

Seite 16: D. Hallo! Ich <u>heiße</u> Nora.   Ich <u>komme</u> aus Bonn.   Ich <u>wohne</u> jetzt in Marburg.   Ich <u>studiere</u>
hier Zoologie.   Ich <u>kenne</u> schon Paula, Dieter und Hans.   Paula und Dieter <u>kommen</u> aus Regensburg.
Hans <u>kommt</u> aus Stuttgart.   Und du?   Du <u>kommst</u> aus Amerika, nicht?

Seite 19: C. 1. studieren   2. sein   3. arbeiten   4. reisen

KAPITEL 2

Seite 25: Was fehlt? 1. Die Studentin <u>sucht</u> ein Zimmer.   2. Herr Braun hat drei <u>Zimmer</u> frei.   3. Die Studentin hat nicht viel <u>Geld</u>.   4. Das Zimmer <u>kostet</u> nicht viel.   5. Das Zimmer hat eine <u>Kochecke</u> und eine Waschecke.   6. Das Zimmer ist <u>möbliert</u>.   7. Das Zimmer hat einen <u>Schreibtisch</u>.   8. Das <u>Schrankbett</u> ist neu.

Seite 27: C. ZU VERMIETEN. <u>Wohnung</u>, 3 Zimmer, <u>luxuriös</u>, modern. 440 DM. Wasser <u>inbegriffen</u>. Nichtraucher. Telefon (<u>17</u>-21 Uhr): 84 <u>65</u> <u>09</u>. Schillerstraße 33

KAPITEL 3

Seite 31: B. 1. Ist <u>dieser Flughafen</u> sehr groß?   2. Ist <u>jeder Bus</u> modern?   3. Sind <u>solche Kirchen</u> wirklich alt?   4. Sind <u>manche Häuser</u> sehr teuer?   5. Sind <u>manche Flughäfen</u> neu?   6. Ist <u>dieser Bahnhof</u> alt?

Seite 33: C. 1. Ihr <u>eßt</u> zu viel.   2. Ihr <u>werdet</u> immer müde.   3. Ihr <u>sprecht</u> zu viel.   4. Ihr <u>lest</u> nie. 5. Ihr <u>vergeßt</u> immer etwas.   6. Ihr <u>gebt</u> selten Geschenke.   7. Und ihr <u>habt</u> nie Geld.

Seiten 33–34: Was fehlt? 1. Der Bus fährt von Bonn <u>nach Bad Godesberg</u>.   2. Der Bus nach Bad Godesberg fährt <u>um halb sieben</u>.   3. Sarah und Christoph haben <u>noch Zeit</u>.   4. Christoph sieht da drüben <u>eine Telefonzelle</u>.   5. Die Telefonzelle ist sogar „<u>international</u>".   6. Das ist doch <u>ein Kartentelefon</u>.   7. Sarah hat leider <u>nur Münzen</u>.   8. Christoph gibt Sarah <u>eine Telekarte</u>.

Seite 36: A. 1. Sarah <u>spricht</u> gut Deutsch, denn ihre Mutter ist <u>Deutsche</u>.   2. Sarah <u>liest</u> gern <u>Bücher</u> und <u>Zeitungen</u> aus Deutschland.   3. Sie <u>fährt</u> oft nach Europa, <u>denn</u> sie hat Freunde dort.

KAPITEL 4

Seite 44: C. FRAU FELDER: <u>Unser Neffe</u> kommt heute.   HERR GRÜN: Und wie heißt er?   FRAU FELDER: <u>Sein Name</u> ist Dieter Wolf. Er kennt Ihren Freund <u>Herrn</u> Lehner.   HERR GRÜN: Ja, <u>Herr</u> Lehner ist <u>mein Nachbar</u>. FRAU FELDER: Herr Grün, Sie haben <u>einen Neffen</u>, nicht?   HERR GRÜN: Ich habe <u>zwei Neffen</u>. Sie heißen Joachim und Kurt Schroeder.   FRAU FELDER: Ach ja? Ich kenne <u>Ihre Neffen</u> nicht. Wohnen sie hier in Koblenz?   HERR GRÜN: Nein, <u>die Jungen</u> wohnen jetzt in Frankfurt. Ich sehe sie nicht oft.

Seite 45: Was fehlt? 1. Edith und Frau Richter sind schon im <u>Zug nach Dresden</u>.   2. Sie sitzen jetzt im <u>Speisewagen</u>.   3. Zusammen lesen sie <u>die Speisekarte</u>.   4. Frau Richter bestellt zuerst nur <u>ein Kännchen Kaffee</u>.   5. Edith hat heute aber <u>großen Hunger</u>.   6. Im Speisewagen ist <u>das Angebot groß</u>.   7. Frau Richter bestellt dann auch noch <u>ein Stück Torte</u>.   8. Edith bestellt <u>eine Wurstplatte</u> und eine Cola.

KAPITEL 5

Seite 50: B. Länder: Frankreich, Spanien, Italien und <u>Österreich</u>. Preis für sechs Personen pro Nacht: von <u>50</u> bis <u>120</u> Mark. Name: <u>Camp</u> Reisen. Telefon: <u>76</u> <u>00</u> 85.

Seite 51: A. Was? Eine <u>Sonderfahrt</u>. Wohin? Nach <u>Magdeburg</u>.   Sehenswürdigkeiten: der Magdeburger <u>Dom</u>, das <u>Kloster</u> Unser Lieben Frauen, die Nikolai-<u>Kirche</u>, der <u>Kulturpark</u> Rotehorn. Schiffsfahrt auf der Elbe: Dauer: <u>drei Stunden</u>. Kosten: <u>9 Mark 50</u>.

Seite 52: D. FRAU WAGNER: Stephanie, was <u>hast</u> du gestern <u>gemacht</u>?   STEPHANIE: Ich habe <u>gearbeitet</u>.   FRAU WAGNER: Und du, Martin?   MARTIN: <u>Ich</u> habe Deutsch <u>gelernt</u>; dann habe ich

Musik <u>gehört</u>. FRAU WAGNER: Melanie? MELANIE: Ich habe einen Koffer <u>gekauft</u>. Bald mache ich eine <u>Reise</u> nach Mexiko. FRAU WAGNER: Nach Mexiko? Und <u>hast</u> du Spanisch <u>gelernt</u>? MELANIE: Ja, ich <u>spreche</u> schon gut Spanisch.

Seite 53: Was fehlt? 1. Tom und sein Onkel wandern <u>durch den Wald</u>. 2. Dieser Weg heißt „<u>der</u> Rennsteig". 3. Herr Schmidt weiß nicht, warum man ihn so <u>genannt hat</u>. 4. <u>Dieser Wanderweg</u> ist sehr alt und berühmt. 5. Goethe <u>hat</u> hier <u>übernachtet</u>. 6. Goethe <u>hat</u> das „Wandrers Nachtlied" hier <u>gedichtet</u>. 7. Herr Schmidt <u>hat</u> das Gedicht als Schüler schon <u>gekannt</u>. 8. Das Gedicht beginnt: „<u>Über allen Gipfeln ist Ruh</u> . . . "

Seite 53: B. 1. Hat man gegen die <u>Umweltverschmutzung</u> protestiert? 2. Hat man <u>gegen</u> das Waldsterben demonstriert? 3. Hat man gegen AIDS <u>gekämpft</u>? 4. Hat man diese Probleme <u>diskutiert</u>? 5. Warum hat man diese Probleme noch nicht <u>gelöst</u>? 6. Was ist <u>passiert</u>? 7. Warum hat man nicht früher alles <u>gewußt</u>?

Seite 55: B. schön, familiär, frisch, mild, perfekt, individuell, ideal

KAPITEL 6

Seite 60: D. Liebe Eltern! Ich bin gestern nach München <u>gekommen</u>. Ich habe schnell ein Hotel <u>gefunden</u>. Ich habe gut <u>geschlafen</u>. Heute habe ich früh <u>gegessen</u> und das Hotel <u>verlassen</u>. Ich bin einkaufen <u>gegangen</u>, und ich habe Geschenke <u>gekauft</u>. Ich habe schon viel <u>gesehen</u> und viel <u>getan</u>. Euer Thomas

Seite 61: Was fehlt? MARIA: Ich habe <u>meiner</u> Schwester, <u>meinem</u> Bruder und <u>meinen</u> Eltern Geschenke versprochen. JAN: Ich habe <u>meinen</u> Eltern <u>Eßbares</u> geschickt. Schokolade, Kekse, und natürlich Lübecker Marzipan. MARIA: Gute Idee. Vielleicht schicke ich <u>meinen</u> Eltern auch Süßigkeiten und Kaffee. <u>Meiner</u> Schwester kaufe ich <u>eine</u> Bluse und <u>meinem</u> Bruder <u>eine</u> Trachtenjacke.

Seiten 64–65: B. Susi ist nachmittags nie mit Maria einkaufen <u>gegangen</u>. Das Einkaufen dauert fast <u>jeden Tag</u> ein bis zwei Stunden, überall <u>hat</u> man Schlange <u>gestanden</u>. Eine Reise nach Westdeutschland <u>war</u> kein Konsumtrip. Sie haben nur Kaffee und Obst, Bücher und Spielzeug <u>gekauft</u>. Das Fieberthermometer <u>war</u> ein Luxus. Und nach der Vereinigung? Miete und <u>ein Platz</u> für Susi im Kindergarten, das <u>werden</u> Probleme.

KAPITEL 7

Seiten 72–73: Was fehlt? 1. Angela und Konrad Kurz sind <u>heute abend</u> zu Hause. 2. Angela und Konrad <u>sehen fern</u>. 3. <u>Fußball</u> interessiert Angela gar nicht. 4. Der Fernseher läuft schon <u>seit einer Stunde</u>. 5. Nach den <u>Werbesendungen</u> kommt Fußball. 6. Konrads <u>Kollegen</u> kommen heute abend zu ihm. 7. Angela <u>geht</u> dann mit ihrer Freundin <u>einkaufen</u>. 8. Konrad bleibt <u>bei den Kindern</u> zu Hause.

Seite 74: C. Wir sind <u>zu Hause</u>. Das Fernsehen läuft <u>seit einer Stunde</u>. Jetzt gibt's nichts <u>außer einer</u> Serie. Um sechs Uhr kommt meine Mutter <u>zu uns</u>. Sie bleibt heute abend <u>bei den Kindern</u>. Meine Frau und ich gehen <u>zu unseren Freunden</u>. Wir möchten <u>mit ihnen</u> einen Film sehen. Der Film kommt um sieben Uhr <u>nach den Werbesendungen</u>.

KAPITEL 8

Seite 79: Da muß Ordnung 'rein! 1. b 2. d 3. a 4. c

Seiten 82–83: Was fehlt? 1. Die zwei Gäste stehen <u>vor dem Aufzug</u>.   2. Herr und Frau Gruber sind <u>die</u> <u>zwei Hotelgäste</u>.   3. Das Wetter an diesem Morgen ist <u>besonders herrlich</u>.   4. Herr Gruber möchte gerne <u>zur Bäckerei</u>.   5. Frau Gruber möchte aber <u>auf der Terrasse im Hotel</u> frühstücken.   6. Die Grubers <u>haben</u> das Frühstück im Hotel doch schon <u>bezahlt</u>.   7. Herr und Frau Gruber <u>frühstücken</u> also im Hotel.   8. Herr Gruber möchte aber dann <u>zum Mittagessen</u> in die Stadt gehen.

Seite 84: C. Endlich bekommst Du einen Brief von mir.   <u>Sei</u> nicht <u>böse</u>, denn ich weiß schon, ich bin etwas <u>faul</u>.   <u>Seit einer Woche</u> bin ich in Hamburg.   Ich habe Glück <u>mit den Hotels</u> in Deutschland.   Ich nehme immer ein Zimmer ohne Bad und spare so viel Geld.   Das WC und die Dusche sind aber gleich <u>um die Ecke im Flur</u>.   <u>Neben dem Eingang</u> meines Hotels spielen Straßenmusikanten.   Man hört solche Musiker auch <u>in den Straßen vor Geschäften</u>.   <u>Schreib</u> mir bitte bald.   Ich bleibe noch drei Wochen hier.

Seite 85: D. 1. b   2. a   3. a   4. b

KAPITEL 9

Seite 89: Was fehlt? HERR SCHUBERT: Sie <u>werden</u> es mit uns gar nicht so leicht haben, Frau Kitz.   Wir <u>möchten</u> groß <u>wohnen</u> aber klein <u>bauen</u>.   Was macht man schon mit 110 <u>Quadratmetern</u>?   FRAU KITZ: <u>Eigentlich</u> sehr viel.   Dieses Problem <u>kennen</u> wir hier nur zu gut.   Unser <u>Motto</u> ist: „Klein aber mein".   Ich <u>werde</u> Ihnen gerne <u>helfen</u>.   Sagen Sie mir aber genau, was Sie <u>wünschen</u>.

Seite 90: A. 1. <u>Dürfen</u> die Kinder vor dem Mietshaus <u>spielen</u>?   2. <u>Muß</u> man eine Gebühr für jeden Fernseher <u>bezahlen</u>?   3. <u>Sollen</u> wir alle Türen <u>schließen</u>?   4. <u>Dürfen</u> die Kinder die Blumen <u>pflücken</u>?   5. <u>Darf</u> man im Flur <u>rauchen</u>?   6. Wer <u>soll</u> den Rasen <u>mähen</u>?   7. <u>Können</u> die Nachbarn uns <u>hören</u>?   8. Ich <u>kann</u> die Garagentür nicht <u>öffnen</u>. Otto, <u>kannst</u> du mir <u>helfen</u>?

Seite 91: Wählen Sie die richtige Antwort. 1. c   2. b   3. c   4. b   5. a   6. c

KAPITEL 10

Seite 100: Da muß Ordnung 'rein! 1. e   2. b   3. d   4. a   5. c

Seite 100: A. 1. Möchtest du <u>während der Werbesendungen</u> etwas essen?   2. Können wir <u>statt eines Krimis</u> etwas anderes sehen?   3. Mußt du immer <u>während der Sendung</u> sprechen?   4. Können wir <u>trotz des Lärms</u> das Radio hören?   5. Müssen wir <u>wegen des Wetters</u> zu Hause bleiben?   6. Können wir morgen <u>trotz der Preise</u> Theaterkarten kaufen?

Seite 101: Die bitteren Tränen . . . 1. a   2. b   3. a   4. b

Seite 101: Was fehlt? Du <u>schwärmst</u> doch so für Stummfilme. <u>Schau</u>, am Freitag kommt Murnaus „Nosferatu". MARTIN: <u>Wirklich</u>? Ich <u>habe</u> den Film schon einmal <u>gesehen</u>. Max Schreck in der <u>Rolle</u> des Nosferatu <u>hat</u> mich sehr <u>beeindruckt</u>. Ist er nicht <u>gruselig</u>?

Seite 104: C. 1. Die ganze Familie verbringt den Abend <u>vor dem Fernseher</u>.   2. Die Mutter, der Vater und die zwei Kinder sitzen <u>auf dem Sofa</u>.   3. Der Hund liegt auf dem Boden <u>vor dem Vater</u>.   4. Die Katze liegt <u>vor der Mutter</u>.   5. Die Oma steht <u>hinter den Eltern</u>.   6. Ein Vogel sitzt <u>auf dem Kopf des Jungen</u>.   7. Das Mädchen hat eine Puppe auf dem Schoß, <u>damit die Puppe auch fernsehen kann</u>.

KAPITEL 11

Seiten 110–111: Die Stunde der Wahrheit. *Possible answers*: 1. Nein, der Fremdenführer (er) spricht auf deutsch. *Oder*: Nein, auf deutsch. 2. Nein, Anne-Marie und Petra (sie) sprechen über ihren Wandertag. *Oder*: Nein, über ihren Wandertag. 3. Ja, das stimmt. 4. Doch, Anne-Marie (sie) hat diese Rede schon oft gehört. 5. Nein, nur Petra (sie) findet die Rede des Fremdenführers interessant. *Oder*: Nein, nur Petra. 6. Ja, das stimmt. 7. Nein, Anne-Marie (sie) findet Wandertage für ältere Schüler blöd. *Oder*: Nein, Anne-Marie. 8. Ja, das stimmt.

Seite 112: C. 1. Woher kommt die Frau, <u>mit der wir eben gesprochen haben</u>? 2. Wo ist der Autor, <u>den Sie schon lange bewundern</u>? 3. Ist das die Schauspielerin, <u>deren Mann aus der Schweiz kommt</u>? 4. Wie heißt der Mann da, <u>der mit Herrn Eckert spricht</u>? 5. Kennen Sie die Leute, <u>von denen Frau Krüger gesprochen hat</u>? 6. Wo sind der Mann und die Frau, <u>die bald heiraten</u>?

Seite 112: Schreiben Sie es nieder! 1. In Hameln gab es zu viele Ratten. 2. Die Ratten hatten zuviel gefressen. 3. Ein Fremder konnte der Stadt helfen. 4. Für seine Hilfe wollte der Fremde Geld von den Leuten. 5. Die Bürger von Hameln nahmen sein Angebot an. 6. Die Ratten konnten nicht schwimmen, also ertranken sie. 7. Die Bürger von Hameln haben den Fremden für seine Arbeit nicht bezahlt. 8. Hameln hat nicht nur seine Ratten sondern auch seine Kinder verloren.

Seite 113: A. 1. Wer <u>konnte</u> lesen? 2. Wer <u>durfte</u> ins Schloß gehen? 3. Wer <u>mußte</u> arbeiten? 4. Wer <u>sollte</u> auf dem Dorf wohnen? 5. Wer <u>wollte</u> immer mehr haben? 6. Wer <u>mochte</u> den Status quo nicht?

Seiten 113–114: Was ist passiert? *Possible answers*: 1. Eine Armee eroberte die Stadt Weinsberg. 2. Er wollte alle Männer der Stadt töten. 3. Am nächsten Tag durften die Frauen alle die Stadt verlassen und die Dinge, die sie auf ihren Rücken tragen konnten, aus der Stadt bringen. 4. In der Nacht schliefen die Frauen kaum. 5. Sie hatten Angst, weil am nächsten Tag ihre Männer sterben mußten. 6. Am nächsten Tag verliessen die Frauen die Stadt und sie trugen ihre Männer auf dem Rücken. 7. Er bewunderte die Idee der Frauen sehr. 8. Die Frauen von Weinsberg haben die Männer der Stadt gerettet.

Seite 114: B. Konrad <u>schrieb</u> eine Postkarte, und Maria <u>las</u> ein Buch. Angelika <u>saß</u> neben Maria und <u>schlief</u>. Stefan <u>aß</u> ein Brot, und Margret <u>trank</u> Cola. Liesl und Karin <u>sangen</u>, und Peter <u>sprach</u> mit dem Lehrer.

KAPITEL 12

Seite 119: Was fehlt? 1. Frau Braun hat <u>riesigen</u> Hunger. 2. Frau Braun <u>möchte</u> zum <u>Schnellimbiß</u> gehen. 3. Auf dem Schnellimbiß <u>gibt</u> es <u>gute</u> Wurst und <u>frischen</u> Salat. 4. Auf dem <u>Markt</u> gibt es frische <u>Landeier</u> und <u>knuspriges</u> Landbrot. 5. Herr und Frau Braun machen zu Hause <u>einen strammen</u> Max.

Seite 122: C. 1. Möchten Sie das <u>möblierte</u> Zimmer sehen? 2. Zimmer in solchen <u>modernen</u> Miets-häusern sind nicht zu teuer. 3. Sehen Sie das <u>große</u> Fenster und die <u>herrliche</u> Aussicht? 4. Gefallen Ihnen die <u>schönen, neuen</u> Möbel? 5. Man kann eine Computer auf diesen <u>großen</u> Schreibtisch stellen. 6. Möchten Sie in diesem <u>luxuriösen</u> Zimmer wohnen?

Seite 125: Ein Problem im Restaurant. Heute abend speist Herr Fein in einem <u>teuren, eleganten</u> Restaurant. Er sitzt allein auf einem <u>großen</u> Stuhl an einem <u>langen</u> Tisch. <u>Rote</u> Rosen stehen in einer <u>schönen</u> Vase in der Mitte des Tisches. <u>Weiße</u> Kerzen stehen in <u>silbernen</u> Kerzenständern auf der <u>weißen</u> Tischdecke. Herr Fein bestellt die <u>berühmte</u> Hausspezialität und zeigt auf das Bild davon, das an der Wand hängt.

    Einige Minuten später trägt der <u>freundliche</u> Kellner ein <u>großes</u> Tablett an den Tisch. Der <u>hungrige</u> Gast findet das Aroma herrlich. Er erwartet einen <u>großen, frischen</u> Fisch mit <u>kleinen frischen</u> Tomaten-und Zwiebelscheiben, wie im Bild. Das Wasser läuft ihm im Mund zusammen.

Der Kellner nimmt den Teller vom Tablett und setzt ihn vor dem Gast. Aber, was ist denn das? Auf dem <u>runden</u> Teller liegt ein <u>kleiner</u> Fisch mit <u>großen</u> Zwiebel- und Tomatenscheiben.

KAPITEL 13

Seite 129: Bitte ergänzen Sie! 1. d   2. c   3. b   4. a

Seite 130–131: Was fehlt? MARIA: Wenn ich bei dem MBB <u>reinkomme</u>, will ich als Fluggerätebauerin <u>anfangen</u> und nebenbei Maschinenbau studieren. So kann ich Geld <u>verdienen</u> und mit dem Studium <u>weiterkommen</u>.   NICOLE: Ich will <u>sofort</u> mit dem Studium anfangen, Anglistik und Germanistik in München.   ANNE: Ich möchte <u>unabhängig</u> sein und einen Job finden, aber nicht erst <u>jahrelang</u> auf die Uni gehen. Vielleicht kann ich bei einer Bank oder im <u>öffentlichen</u> Dienst arbeiten.

Seiten 131–132: Die Stunde der Wahrheit. *Possible answers:* 1. Das stimmt.   2. Nein, sie erwarten ein Kind.   3. Das stimmt.   4. Das stimmt.   5. Nein, seiner Ansicht nach ist es nicht einfach, Kinder im Haus zu haben.   6. Nein, in 13 Jahren haben Sie einen Teenager im Haus.   7. Das stimmt.

KAPITEL 14

Seite 139: B. 1. Man braucht ein <u>großes</u> Spielfeld, wenn man Fußball spielt.   2. Schach ist ein <u>langsames</u> Spiel.   3. Nur <u>geduldige</u> Leute können Schach spielen.   4. Football ist ein <u>aggressiver</u> Sport. 5. Basketball ist ein <u>schneller</u> Sport.   6. Skilaufen kann ein <u>gefährlicher</u> Sport sein.   7. Turnen ist ein Sport für <u>junge, starke, athletische</u> Menschen.

Seiten 139–140: Was fehlt? 1. Theo und Simon sind <u>auf dem Tennisplatz</u>.   2. Theo, <u>ein deutscher Turnlehrer</u>, kommt aus Frankfurt.   3. Theo besucht seinen <u>jüngeren, amerikanischen</u> Vetter.   4. Theo <u>spielt viel besser</u> Tennis als Simon.   5. Heute spielen Deutsche <u>nicht nur gern</u> Fußball sondern auch Tennis.   6. Tennis ist genauso populär in Deutschland <u>wie in den USA</u>.   7. Tennis in Deutschland ist nicht nur <u>Zuschauersport</u>.   8. <u>Immer mehr Deutsche</u> wollen Tennis spielen.

Seiten 140–141: Wählen Sie die richtige Ergänzung! 1. a   2. c   3. b   4. a   5. c

Seite 142: C. 1. Österreich ist ein <u>kleines</u> Land, die Schweiz ist ein <u>kleineres</u> Land, aber Liechtenstein ist das <u>kleinste</u> Land.   2. Die Elbe ist ein <u>langer</u> Fluß, der Rhein ist ein <u>längerer</u> Fluß, aber die Donau ist der <u>längste</u> Fluß.   3. Das Weißhorn ist ein <u>hoher</u> Berg, das Täschhorn ist ein <u>höherer</u> Berg, aber das Matterhorn ist der <u>höchste</u> Berg.   4. Der Chiemsee ist ein <u>großer</u> See, der Neusiedlersee ist ein <u>größerer</u> See, aber der Bodensee ist der <u>größte</u> See.   5. Marburg ist eine <u>alte</u> Stadt, Tübingen ist eine <u>ältere</u> Stadt, aber Göttingen ist die <u>älteste</u> Stadt.   6. Köln hat <u>viele</u> Einwohner, München hat <u>mehr</u> Einwohner, aber Hamburg hat die <u>meisten</u> Einwohner.

Seite 143: Was ist passiert? *Possible answers:* 1. Er hat eine Videokassette bekommen.   2. Seine Eltern haben ihm etwas geschickt.   3. Weil sie wissen, daß er ein Fußballnarr ist.   4. Er springt auf und ruft, „Tor, Tor, Tor!"   5. Das Spiel endet mit sechs zu fünf für Eintracht Frankfurt. Frankfurt gewinnt also. 6. Das nächste Spiel ist am kommenden Samstag in Kaiserslautern.   7. Er möchte ein solches Spiel in Deutschland erleben.

Seite 144: A. 1. <u>Das ganze Jahr</u> lang geht Theo fast <u>jedes Wochenende</u> ins Fußballstadion.   2. Er hat Fußball <u>am liebsten</u>.   3. <u>Die schnelleren Sportarten</u> wie Tennis und Volleyball interessieren ihn auch. 4. <u>Die langsameren Spiele</u> interessieren ihn nicht.   5. Fußball ist <u>der populärste Sport</u> in Deutschland. 6. Theo findet amerikanischen Football <u>langsamer</u> als deutschen Fußball.   7. Theos Vetter meint, man findet immer das Spiel <u>am interessantesten</u>, das man selbst als Kind gespielt hat, weil man dieses Spiel <u>am besten</u> kennt.

KAPITEL 15

Seite 149: Was fehlt? RENATE: <u>Setz dich!</u> Was gibt's? <u>Fühlst</u> du <u>dich</u> nicht gut? INGRID: Doch. Ich <u>ärgere</u> <u>mich</u> nur über meine Kurse. Hier muß man immer pauken. RENATE: Ja, ich weiß. Ich kann <u>mich</u> auch nicht recht daran <u>gewöhnen</u>. INGRID: Ich habe nicht viel Zeit. Ich muß <u>mich</u> <u>beeilen</u>. Morgen gibt's wieder eine Prüfung.

Seite 150: Was fehlt? 1. <u>Am</u> <u>Freitagabend</u> sitzt Renate allein in ihrem Zimmer. 2. Ihre Freundin, Debbie, <u>klopft</u> an <u>die</u> Tür. 3. Die zwei Studentinnen <u>unterhalten</u> <u>sich</u> über Pläne für den Abend. 4. Debbie <u>wundert</u> <u>sich</u>, daß ihre Freundin <u>im</u> Studentenheim bleibt. 5. Debbie denkt: Renate <u>interessiert</u> <u>sich</u> aber besonders <u>für</u> Filme. 6. Debbie fragt, „Warum <u>holst</u> <u>du</u> <u>dir</u> nicht mal einen Spielplan?" 7. Renate antwortet, „Filmabende kann <u>ich</u> <u>mir</u> jetzt nicht mehr <u>leisten</u>." 8. Debbie sagt, „Du mußt <u>dich</u> aber manchmal richtig <u>entspannen</u>!"

Seite 152: Sagen Sie es bitte anders! 1. Deutsche Studenten müssen auch viel <u>lernen/pauken</u>. 2. Sie arbeiten nicht so <u>tagaus, tagein</u> wie amerikanische Studenten. 3. Man <u>kommt</u> für viele Seminare nur einmal in der Woche <u>zusammen</u>. 4. Man muß sich nicht <u>immer/die ganze Zeit</u> auf <u>Tests</u> vorbereiten. 5. Prüfungen helfen mir aber, <u>das Material</u> zu wiederholen. 6. Man läßt deutsche Studenten viel mehr <u>für sich</u> arbeiten. 7. Mir ist das langsamere Tempo in Deutschland <u>lieber</u>.

Seiten 152–153: B. 1. Erika findet es schwer, <u>Englisch zu sprechen</u>. 2. Claudia findet es schwer, <u>allein zu wohnen</u>. 3. Alex findet es schwer, <u>abends zu arbeiten</u>. 4. Beate und Ute finden es schwer, <u>dicke Bücher anzufangen</u>. 5. Christian findet es schwer, <u>sich mit anderen Leuten zu verstehen</u>. 6. Sofie findet es schwer, <u>amerikanische Zeitungen zu lesen</u>.

Seite 153: D. Liebe ist, jemandem 1. <u>zu helfen</u>. 2. <u>einen Brief zu schreiben</u>. 3. <u>Blumen zu schenken</u>. 4. <u>einen Kuchen zu backen</u>. Glück ist, 1. <u>gute Noten zu bekommen</u>. 2. <u>gut deutsch sprechen zu lernen</u>. 3. <u>sich mit Freunden zu treffen</u>. 4. <u>sich am Wochenende zu entspannen</u>.

KAPITEL 16

Seite 158: B. 1. Wovon <u>träumten</u> die ehemaligen Ostdeutschen? 2. Worauf <u>hofften</u> sie? 3. Was <u>versuchten</u> sie zu tun? 4. Wann <u>erfuhren</u> sie von der Öffnung der Mauer? 5. <u>Hat</u> die Revolution das Leben im Osten <u>verbessert</u>? 6. <u>Hat</u> sie auch manches <u>zerstört</u>?

Seite 159: Schreiben Sie es richtig! 1. So <u>schön</u> war sie, die Revolution—und <u>nun</u>? 2. Beim <u>Zubettgehen</u> hatte man von der Öffnung der <u>Mauer</u> erfahren. 3. <u>Plötzlich</u> stand man auf der Straße. 4. Man <u>würde</u> es <u>später</u> im Westen <u>bemerken</u>. 5. Man war sofort im Westen, als ob man <u>träumte</u>. 6. Eine <u>Krankenschwester</u> <u>erinnert</u> sich gut an die historische Nacht. 7. Drei Monate später hat sie sich an die <u>geöffnete</u> Mauer <u>gewöhnt</u>. 8. Wenn sie in westliche <u>Kaufhäuser</u> <u>ginge</u>, <u>könnte</u> sie den Anblick der Ware nicht ertragen.

Seite 160: Wie war das? *Possible answers:* 1. Er hat einen Partner für seine Geschäftsidee gesucht. 2. Er will ihnen mit Westtechnik helfen. 3. Sie sind viel zu schlecht und viel zu teuer. 4. Seine Arbeitsphilosophie ist, den westlichen Fortschritt einfach zu übernehmen.

Seite 161: Was ist passiert? *Possible answers:* 1. Man hat sie gefragt, ob es ihnen besser gefiele, wenn die Mauer noch stände. 2. Sie antworten immer „nein", aber manchmal auch „nein, aber ..." 3. Die Revolution hat die bescheidene Behaglichkeit der Ostdeutschen zerstört. 4. Nein, sie lebten nicht wirklich im Elend. 5. Es wäre für sie nicht möglich gewesen, ihre Mutter täglich zu besuchen. 6. Es ist nicht gut alles in der früheren DDR jetzt in Frage zu stellen, z.B. bestimmte soziale Maßnahmen. 7. Die Welt ist für sie plötzlich offener, weil sie jetzt selbst die Entscheidung darüber machen kann, was und wo sie studiert.

Seite 162: Eine Chronik. 7. Oktober 1949, August 1961, 1986–1988, 11. September 1989,
30. September 1989, 9. November 1989, 3. Oktober 1990

KAPITEL 17

Seite 169: Was fehlt? 1. Das Eigelb <u>wird</u> vom Eiweiß <u>getrennt</u>.   2. Die Butter <u>wird</u> mit dem Zucker
schaumig <u>geschlagen</u>.   3. Der Vanille-Zucker, das Eigelb und das Salz <u>werden</u> zu der Masse
<u>hinzugegeben</u>.   4. Der Backofen <u>wird</u> auf 220° C <u>vorgeheizt</u>.   5. Die Schokolade <u>wird</u> im Wasserbad
erweicht und dann <u>hinzugegeben</u>.   6. Das Backpulver <u>wird</u> mit dem Mehl <u>vermischt</u>.   7. Die Masse
<u>wird</u> <u>kaltgestellt</u>, bevor die Torte <u>bestrichen</u> <u>wird</u>.

Seite 172: Die Stunde der Wahrheit. *Possible answers*: 1. Das stimmt.   2. Nein, sie sehen die Oper „Der
Rosenkavalier" von Richard Strauss.   3. Nein, er läßt sich von der Musik einlullen.   4. Das stimmt.
5. Das stimmt.   6. Nein, er hat den Text von der Oper nicht gelesen.   7. Das stimmt.

KAPITEL 18

Seite 179–180: Was wurde gefragt und gesagt? *Possible answers*: 1. Viktor fragte den Wirt, was es auf der
Alp zu sehen gebe.   2. Der Wirt sagte ihm, er solle eine Sennhütte besuchen. *Oder*: Der Wirt sagte ihm,
daß er eine Sennhütte besuchen solle.   3. Niklaus fragte Viktor, wie sie wissen werden, in welchen
Hütten Käse gemacht werde.   4. Viktor antwortete ihm, man könne das an dem Rauch erkennen. *Oder*:
Viktor antwortete ihm, daß man das an dem Rauch erkennen könne.   5. Er erklärte Niklaus, zur
Käsezubereitung brauche man ein Feuer. *Oder*: Er erklärte Niklaus, daß zur Käsezubereitung man ein
Feuer brauche.

Seiten 181–182: B. *Possible notes*: 15. Mai 1911, Zürich; Zürich, Germanistik, Architektur; Journalist,
Architekt, zehn Jahre lang; durch den Balkan und Griechenland, nach seinem Studium der Germanistik,
durch viele europäische Länder, die USA und Mexiko, nach dem Zweiten Weltkrieg; Theaterstück,
Romane und Tagebuchberichte